LEGAL SOURCES AND BIBLIOGRAPHY OF EASTERN EUROPE

ROMANIA

LEGAL SOURCES
AND
BIBLIOGRAPHY OF
ROMANIA

BY VIRGILIU STOICOIU

Published for FREE EUROPE COMMITTEE, *Inc.*

by FREDERICK A. PRAEGER, *New York*

PREFACE

The present volume is one of the series of bibliographies prepared by the Mid-European Law Project and published by the Mid-European Studies Center. The Mid-European Law Project, part of the Law Library of the Library of Congress, was staffed with exiled lawyers from countries which are presently under communist domination. The Project was under the administration of Mr. L. Quincy Mumford, Librarian of Congress, and Dr. Lawrence Keitt, Law Librarian of Congress, and was under the direction of Dr. Vladimir Gsovski, Chief of the European Law Division. The Project was supported by funds supplied by the Free Europe Committee, Inc., and was terminated effective June 30, 1960.

The preparation and publication of studies of legal sources and bibliographies of this nature by the Project were encouraged for several reasons. There are no bibliographical tools in English for the study of the law of these countries. In a totalitarian state, laws and decrees by the government are potent channels of society and a mirror of life.

With the establishment of communist governments in Eastern and Central Europe, there was initiated a change of laws which was largely inspired by the Soviet legal system and resulted in the adoption of new codes and statutes. New legal collections, new legal writings, and new periodicals appeared.

The first aim of the series is to control this material bibliographically.

Moreover, the legal history of those countries is not widely known. In order to provide an essential tool for the study of the laws, both old and new, these bibliographical studies were prepared. A description of the main legal sources and their publication introduces the legal treatises, commentaries, and other forms of legal writing. The bibliographical listing is preceded by an introduction giving the legal sources of each country in brief, the roots of the national legislative system, and the transition to the present system under the communist government.

The studies are concluded by a list of the most important laws and decrees in force on January 1, 1963, which concern the major fields of law. They are arranged by subject.

Volumes on the Baltic States (Estonia, Latvia, Lithuania), Bulgaria, Czechoslovakia, Hungary, Poland and Yugoslavia were prepared in the same series.

FOREWORD

The present bibliography of legal writings and sources is the first of its kind to be published in Romanian or English. Since no pattern or precedent was available for its compilation, some explanations concerning the organization of the material appear to be appropriate.

The complex history of Romania may, from a legal point of view, be reduced to three main periods. The modern Romanian legal system originated with the acceptance of the French legal system after the union of the principalities of Moldavia and Wallachia in 1859. The preceding period may be considered as a mere historical introduction. The third began with the invasion of Romania by the U. S. S. R. in 1944.

The *Introduction* (*Chapter* 1) gives a general survey of the historical and legal development of Romania from the first century A. D. to the time when Romania became a People's Republic.

Chapter 2 describes the laws of the two Principalities of Wallachia and Moldavia before their unification. The role of the unwritten customary law as well as the early legal codes are discussed here, together with the development of the Romanian alphabet. The publications mentioned in this chapter are bibliographically treated in *Chapter* 3, subdivided into contemporary editions and modern writings. Titles in Romanian

Cyrillic are given in transliteration according to the Latin alphabet. Beginning with this chapter all bibliographical entries are numbered consecutively throughout the book and references, if not otherwise indicated, are made to these numbers. The symbol (DLC) means that the publication is in the Library of Congress.

Chapter 4 presents a detailed discussion of the legal system after the establishment of modern Romania. It particularly describes the constitutions adopted since the Paris Conference of 1856 as well as the significance and functions of legislative and executive acts in the new legal order of the People's Republic, its administration of justice, and the position of the Communist Party within it. A section of this chapter is devoted to the complex history of the unification of the Romanian criminal and civil codes.

The primary sources of Romanian law, such as official gazettes, officially and privately published collections of laws and indexes, collections of court decisions and parliamentary records, are listed in *Chapter* 5.

Chapter 6 gives a list of legal periodicals (both current and non-current), departmental bulletins and serial publications, as well as the most important bibliographies and biographies. The material is divided into two groups: the publications which appeared prior to 1945 and those which appeared after. In addition, several non-legal periodicals containing legal writings or legal information are included here. All the entries in this chapter are arranged in alphabetical order according to the Romanian title of the publication, which is followed by its English translation.

Chapter 7 is dedicated to legal writings printed in Romanian. It offers a selection of representative standard works and articles in periodicals. The entire material is organized in two groups: works which deal with comprehensive traditional topics such as constitutional law, civil law, etc., and works on specific legal topics, arranged alphabetically. After each subject heading cross references are given to entries in other parts of the bibliography which deal with the same topic. The titles in Romanian are accompanied by free English translations, in parentheses, which seek to convey the gist of the publication rather than to give a literal translation of the title.

Chapter 8 lists a selection of books and articles printed in English, French, German, Italian, Russian and Spanish, arranged in alphabetical order. Russian titles are given in transliteration according to the rules of the Library of Congress, without ligatures, accompanied by free English translations.

Chapter 9 consists of a list of the principal laws and decrees in force on January 1, 1963. These acts, the gist of which is translated into English, are arranged according to subjects corresponding to those in Chapter 7.

The reader is further aided by *Author, Title* (for works published without author), and *Subject Indexes.*

The form of the bibliographical entries follows the rules of the Library of Congress as stated in *Bibliographical Procedures and Style, a Manual for Bibliographers in the Library of Congress* (Washington, 1954), with departures warranted by the nature of the material. This is true for a great number of entries in Romanian for which no complete bibliographical information was available. In several entries that disclose no author, the agency or institution responsible for the publication is mentioned in the imprint.

Acknowledgment is hereby expressed to Dr. Ivan Sipkov who in fact performed the duties of an efficient assistant editor and to Edmund C. Jann, Esq., who read the manuscript and made valuable suggestions.

Dr. Virgiliu Stoicoiu

Vladimir Gsovski, Ph.D., Editor

CONTENTS

ABBREVIATIONS

Aus	*Auslandsrecht*
B.O.	*Buletinul Oficial* (Official Law Gazette)
Buc.	Bucureşti (Bucharest)
C.H.D.	*Colecţia de hotărîri şi dispoziţii ale Consiliului de Miniştri al Republicii Populare Române* (Collection of Resolutions and Ordinances of the Council of Ministers of the Romanian People's Republic)
D.	Decree
L.	Law
M.E.	Miniszterelnök (Prime Minister)
M.O.	*Monitorul Oficial* (Official Law Gazette)
Ostr.	*Ostrecht*
R.	Resolution
R.P.R.	Republica Populară Română; Romanian People's Republic
VV	Voevod (Prince)
ZfO	*Zeitschrift für Ostrecht*
ZfOer	*Zeitschrift für Osteuropäisches Recht*

LEGAL SOURCES AND BIBLIOGRAPHY OF EASTERN EUROPE
ROMANIA

1

INTRODUCTION

Romania went through several stages of legal development. Its history opened in the first century A. D. by the formation of the Roman province of Dacia. Out of it later developed the Principalities of Moldavia (including Bessarabia and Bukovina), Wallachia (*Ţara Românească*) and Transylvania. Prior to the 19th century, the Romanian principalities were united, but only for a short time under the crown of the Romanian prince Michael the Brave (1599-1601).

On January 24, 1859, following the Convention of Paris (August 19, 1858), the Romanian Principalities of Moldavia and Wallachia were fused into the United Romanian Principalities. In 1877, as a result of the Russo-Romanian-Turkish War (1877-1878), Romania became an independent state.

The next major change took place when, after World War I (1916-1918), the Romanian Kingdom was extended to include the Romanian provinces of Transylvania and Bukovina from the Austro-Hungarian Empire, and Bessarabia from Russia. After World War II the provinces of Bessarabia and Bukovina were incorporated by force into the Soviet Union.

The legal system of modern Romania originated after the two Romanian Principalities of Moldavia and Wallachia became united in 1859. "The Union is accomplished, the Romanian Nation is founded" was stated in the Proclamation of Prince Cuza of December 11, 1861 on the convocation of a United Assembly of both Principalities. The first Constitution was adopted in 1866, closely patterned after the

Belgian Constitution, and all the major codes were soon enacted, being modeled after the French legislation. Thus, the pure western nineteenth-century legal system was the foundation of modern legal development in Romania. There was no continuity with the laws preceding the achievement of the Union. The Romanian Principalities, united in 1859, became a Kingdom in 1881, generally called the Old Kingdom in contrast with the Greater Romania within its new frontiers after World War I.

Romania, within its new frontiers, embraced the bulk of the Romanian population of Europe. The laws of the newly acquired provinces continued in force until superseded by laws enacted by Greater Romania. Though different from those of the Old Kingdom, these laws were of the same kind and nature, western and contemporary. The regime which came into being in Romania after World War II, and especially after December 30, 1947 when Romania became a "people's republic" did not announce the discontinuity of the previous laws, but the new order was introduced by enacting new laws and repealing the old legal provisions specifically.

2

ROMANIAN LAW PRIOR TO THE UNION OF THE PRINCIPALITIES (1859)

The territory of present-day Romania is the land between Tissa area, the Danube and the Black Sea which was known in the ancient world as *Dacia*. Later after the two wars of 101-102 and 105-106 A.D. against *Dacia*, the Romans made it into a Roman province called *Dacia Felix, Dacia Romana,* or *Dacia Traiana* after the Roman emperor Marcus Ulpius Trajanus.

From the sixth to the twelfth century A.D., wave after wave of barbarian conquerors, Goths, Huns, Petchenegs, Tartars, Slavs and others, passed over the country. According to historians, the ancient inhabitants of Dacian and Roman origin were, at the worst, only submerged, and their direct descendants are the Romanians of today. We find, in the Romanian territories during the thirteenth century, people speaking not exactly the same Latin as the former Roman conquerors, but the "Roman" and later the "Romanian" language. They formed two political entities, the *Ţara Românească*, also called Wallachia *(Muntenia)*, and Moldavia. The same people were always present in the north, in Transylvania.

In the course of subsequent centuries, this area became a buffer state between the European Christian West and the onslaughts of the Turks, whose suzerainty the Moldavian and Wallachian rulers had to accept at different times. However, the Romanians have stubbornly preserved their identity and retained, at least, some degree of independence. With the exception of the brief rule of Michael the Brave (1599-1601), Wallachia and Moldavia were rival principalities which did not become united until 1859.

This is not the place to discuss the intricacies of the wars and changes of rulers in this area. From the point of view of the legal order it seems to be established that both principalities lived, until the 19th century, essentially under the rule of customary law. This law was basically feudal and it is called *jus valachicum, regia consuetudo* and *lex olachorum* in the documents concerning Transylvania. Some of these enlightened rulers ordered the preparation of a code of laws in which the progressive legal concepts derived from Byzantine sources were expounded. But even in the courts the unwritten customary laws prevailed. Likewise, educated lawyers in a later period compiled legal handbooks inspired by the same ideas but there is no evidence to what extent these concepts and precepts were applied.

The two earliest legal codes evolved from the rivalry between two able seventeenth-century princes: Vasile Lupu (Basil the Wolf) who ruled over Moldavia, and Mateiu Basarab (Matthew Bassarab) ruler of Wallachia, who fought each other but are credited with the cultural development of their principalities, and the establishment of printing presses and schools. Each prince made the first genuine attempt at a separate codification of laws for his principality.

The compilation ordered by Basil the Wolf was printed at Jassy in 1646 under the title *Carte Românească de învăţătură, pravile împărăteşti* (No. 8). The main sources of this code were Roman and Byzantine laws and the writings of the distinguished Venetian jurist Prospero Farinacci (1554-1618). It comprises both criminal and civil provisions and was the first legal code to be compiled in the Romanian language.

In Wallachia, Prince Matthew Bassarab established a printing press at Govora in 1632, and in 1640 he had printed a small code of ecclesiastical law, *Pravila cea mică* (No. 23b). This was followed by a code of secular law, *Indreptarea legii* (No. 23a), published at Tîrgovişte in 1652, which was the first comprehensive legal code for Wallachia. Together with the code promulgated by Basil the Wolf, it contributed to the development of national culture and marked the beginning of Western influence in the Romanian Principalities.

Historians are fairly well agreed that, although Matthew's code was printed later than Basil the Wolf's, it was written earlier. It is five times longer than Basil's, and includes a number of canon law provisions which are not found in the Moldavian code. The code comprises a translation into Romanian of the laws of the Byzantine emperors, commentaries by Byzantine jurists, and the work of Prospero Farinacci, mentioned above. All material derived from these sources was rearranged according to subject matter. Stephen, the Metropolitan of Tîrgoviște, who commissioned a monk, Daniel the Pannonian, to prepare the code, believed that all the laws and customs were assembled in it. Whether or not this belief is justified, the fact is that the code is an essential document for any research in the legal sources of Romanian law and for the study of its history as a cross-current of two legal traditions, the Eastern-Byzantine, on the one hand, and the Western Roman law as developed by the great glossators and commentators of Italy, on the other.

Mention should be made of the alphabet in which these early codes and subsequent law books were printed up to the second half of the nineteenth century. When, in the seventeenth century, these books began to be printed in the Romanian language in Moldavia and Wallachia, the Cyrillic alphabet—derived from Greek and designed for Church Slavonic—was used in combination with letters of the same style adapted to represent the sounds of the non-Slavic Romanian language. Thus a special kind of Cyrillic alphabet originated, a Romanian Cyrillic.

New characters began to appear in print and to replace Cyrillic-type characters as early as the beginning of the nineteenth century; the official gazette in Wallachia had started the change-over September 7, 1839; and under Prince Alexandru Ioan Cuza on November 4, 1859, the Council of Ministers ordered that nothing but Latin characters be used in this official law gazette. Simultaneously, the Romanian government ordered a special committee of experts to study and report on the changes in the orthography of the Romanian language in adopting the Latin alphabet with diacritical marks. Some privately printed publications showed traces of Cyrillic characters as late as 1874. The above-mentioned codes were printed in the Romanian Cyrillic alphabet with numerous highly artistic woodcuts.

During the eighteenth century, the Principalities were ruled by Greeks from Fanar, a suburb of Constantinople, therefore called Fanariotes, who were appointed by the Turkish Empire. Although their rule was highly oppressive, some of them made a contribution by spreading Greek literature and civilization in the principalities. Two publications of this period should be mentioned. *Sobornicescul Hrisov,* a decree in council, contained the rules enacted by Alexandru Mavrocordat, Prince of Moldavia, on December 28, 1785 (No. 12). This decree survived later codes and was applied in Moldavia until the enactment of the Romanian Civil Code in 1865. The other is *Mic Manual de Legi* or *Pravila lui Alexandru Ipsilanti,* a small manual of laws or rules of law of Alexandru Ipsilanti, 1780 (No. 19), which is an attempt to codify the *pravile,* i.e., the rules of Romanian customary law, which, in spite of a later Code of Caragea, were applied in Wallachia until the Civil Code of 1865 went into effect.

Next in importance were two codes designed to replace customary law by written statutory provisions: the Code of Callimah for Moldavia of 1817 (Nos. 3, 32), and the Code of Caragea for Wallachia of 1818 (No. 20). In formulating the new rules of law the writers of these codes turned for inspiration to the Western European legal systems, especially the French, and paved the way for the introduction of French law into Romania.

The Code of Caragea was drafted in two languages, Romanian and Greek. It is considered to be a fairly good code for its time and remained in force until the 1865 Civil Code went into effect. The Code of Scarlat Callimah, the Moldavian prince, was enacted on July 1, 1817, and was printed in Greek that same year. The first Romanian edition appeared in 1833. The Code was drafted with the assistance of such noted jurists as Christian Flechtenmacher, Ananie Cuzanos, and Andronache Donici.

Another most important event in the development of Romanian legal thought was the appearance in 1813 of a handbook by Andronache Donici (No. 4). This was an encyclopedic manual of law compiled from a variety of sources indicated on the margins: The Institutes of Justinian and other sources of Roman law, Byzantine law and in particular *Harmenopulos' Hextabiblos* (Six Books)[1] (No 27), the rules of Alexandru Mavrocordat (No. 12), and customary law. Concisely written in Romanian, it became a guide for Romanian jurists until late in the nineteenth century.

Among the laws which prepared the way for the borrowing of the French legal system were the Criminal Code of Wallachia of 1851 (No. 25) and that of Moldavia of 1826 (No. 13). The Wallachian Code is known as the Ghica-Stirbey Penal Code. Prince Stirbey, who promulgated it in 1852 after its approval by the Assembly in 1850, had been a member of the commission which drafted the code at the order of Prince Ghica. It was very much influenced by the French Penal Code as amended in 1832. However, there are numerous differences, especially in regard to penalties.

The Moldavian Criminal Code was drafted by order of Prince Mihail Stutzo. It was directly influenced by the writings of Beccaria, and was modeled on the Austrian Criminal Code. Next in order are the acts which, in the long run, led to the formation of modern Romania.

Regulamentul Organic (No. 24), published (in Romanian Cyrillic) in Bucharest in 1832 and 1847, was a rudimentary type of constitution, one for each Romanian principality. It was preceded in 1822 by a draft made by the Carbonari (No. 53). The *Regulamentul* itself was drafted by commissions comprised of Romanian dignitaries, and was approved by Kiselev, a Russian general, entrusted with the control of the governments of the principalities according to the Treaty of Adrianople of 1829. The main provision concerned the election of the Prince by an extraordinary assembly; the Assembly, to pass ordinary legislation; the judiciary, for the first time treated as a separate branch; and commerce.

The *Regulamentul Organic* was promulgated in 1831 in Wallachia and in 1832 in Moldavia. These acts introduced for the first time in Romanian principalities the constitutional principle of separation of powers and introduced new provisions for the constitutional and internal administration of both principalities. During

---

1 *Harmenopoulos' Hextabiblos* was a manual of Byzantine law compiled in the fourteenth century by Harmenopoulos, a judge in Salonika. It became extremely popular in Greece and in the Romanian principalities, being concise and clear.

the Revolution of 1848 their burning was a major revolutionary signal. The Convention of Balta Liman of 1849 supplanted some provisions, and the Convention of Paris of 1858 superseded the acts completely. The international commission established by the Paris Convention of Great Powers of 1856 convened, in 1859, two separate assemblies (*divanuri ad-hoc*) for Moldavia and Wallachia. Both assemblies elected unanimously Alexandru Ioan Cuza the ruler of both, and thus, the United Principalities of Romania were born January 24, 1859.

3

BIBLIOGRAPHY OF PUBLICATIONS ON THE PERIOD PRIOR TO THE UNION OF THE PRINCIPALITIES (1859)

See also Nos.: 205–259.

A. Contemporary Editions and Their Reprints

I. Moldavia

1. Adunare de ofisuri şi deslegări în ramul judecătoresc slobozite de la întronarea preaînnălţatului domn Mihail Grigg. Sturza VV. până la anul 1844, Iulie 9 (Collection of Rules and Regulations on the Administration of Justice Issued by Mihail G. Sturza up to July 9, 1844). D. Hasnaş, *editor.* Iaşi, 1844. 360 p. Printed in Romanian Cyrillic. (DLC)

2. Cantemir, Dimitrie. (a) Descriptio Moldaviae. Written in Latin in 1718. First German edition by Büsching, 1769, *in* Magazin für neuere Historie; 2d German edition, Müller, Frankfurt, 1771. Russian translation by Levskiss, Moskva, 1789. Latin text reprinted by the Romanian Academy in Operele Princepelui Demetru Cantemir, v. 1, Buc., 1872. ca. 100 p. (DLC); (b) Descriptio Moldaviae. 1825. 344 p. Printed in Romanian. 2nd ed., C. Negruzzi, Iaşi, 1851; 3d ed., Boldur Lăţescu, Iaşi, 1865; 4th ed., A. Papiu Ilarian, Buc., 1872 (Vol. 2 by Iosef Hodosiu, [Buc.], 1875); 5th ed., by M. Nicolescu, Buc. (?), 1909; by Giorgi Pascu, Buc. (?), 1923; by Gheorghe Adamescu, Buc., 1942.

> The 1825 edition was translated by Vasile Vârnav from the Russian edition made from the 2d German edition.

3. Codice civile al Principatului Moldovei (Civil Code of Moldavia). 1st Romanian ed., Iași, 1833; 2nd ed. 1851. 422 p. Printed in Romanian Cyrillic. (DLC); 3d ed. 1862. 465 p. Printed in Romanian Cyrillic. (DLC). First Greek edition, Iași, 1816–1817.

> Known as *Codul Calimah* (No. 32). Compiled by Christian Flechtenmacher, Gh. Asaki and Damaschin Bozinca under leadership of Prince Scarlat Callimach of Moldavia.

4. Donici, Andronache. Colecția prescurtătoare din legile împărătești (Abridged Collection of Laws of the Roman Emperors). Iași, 1814; 2nd ed., with an introduction by Negruzzi, 1858. 114 p. together with Codul Criminal. Both printed in Romanian Cyrillic. (DLC) *See also* Nos. 36, 54, 1563, 1566.

5. Lexiconul juridic sau al pravilelor or lexicon juris civilis (Legal Dictionary). Iași (?), Epitropia Școalelor, 1836.

6. Manualul administrativ al Principatului Moldoviei, cuprinzătoriu legilor și dispozițiilor introduse în țară, de la anul 1832 până la 1855, înordânduite de comisie din înaltul ordin al înălț.—sale Princepelui Domnitoriu al Moldovei Grigorie A. Gica [Ghika] VV. (The Administrative Manual for Moldavia; Laws and Regulations Issued from 1832 to 1855 under the Rule of the Moldavian Prince Grigorie A. Ghika). Iași, 1855–1856. 2 v. Printed in Romanian Cyrillic. (DLC)

7. Pastia. Codul judiciar al Moldovei (Judiciary Code of Moldavia). Iași (?), 1862.

8. [Pravila Lui Vasile Lupu]. Carte românească de învățătură dela pravilele împărăteștci și dela alte giudețe cu zisa, și cu toată cheltuiala lui Vasilie Voivodul și Domnulu Țărei Moldovei din multe scripturi tălmăcitu din limba Ilenesci pre limba Românesci, în Tipariul Domnesc s'au tipărit în mânăstire[a] [L]A trei S[fin]-țile (Romanian Charter of Learning Rules of Law from Imperial Laws, and Other Sources Prepared at the Expense of Basil the Ruler of Moldavia. Translated from Greek into Romanian). Iași, 1696. Printed in Romanian Cyrillic in the Monastery of the Three Saints. (DLC)

> Generally known as Pravila lui Vasile Lupu, reprinted by Sion as *Pravilele lui Vasile Lupul Voevod* (Botoșani, 1875), also in Bujoreanu, (No. 74), v. 3, 1885, Leguiri vechi, p. 5 ff. (DLC) *See also* Nos. 42b and 45b.

9. Proiectu de regulamentu al Adunării Ad-Hoc al Moldovei din 30 sept. 1857 (Draft of Regulations for Ad-Hoc Assembly of Moldavia, Sept. 30, 1857). Iaşi (?), n. d. 18. p.

10. Règlement Organique de la Principauté de Moldavie. Translated by G. Asaky. New York, 1834, 364 p. (DLC)

11. Runduiala despre vama şi monopolu a[1] statului (Customs Duties and Monopoly). Cernovici, 1836. 422 p. Printed in Romanian Cyrillic. (DLC)

12. Sobornicescul hrisov aprobat de Alexandru Mavrocordat la 10 noiembre 1785 (The Decree by Prince Alexander Mavrocordat of Nov. 10, 1875). Iaşi, 1785; 1835 (Reprinted in No. 52,, v. 2, 1852) (DLC); 3rd ed. 1839. 61 p.

13. Sutzu, Mihail. Codul criminal al Principatului Moldaviei (Criminal Code of Moldavia). 4th ed. Iaşii, 1858. 75 p. (DLC)

2. Wallachia

14. Adunare[a] de instrucţile ce s'au dat instanţiilor judecătoresci . . . (A Collection of Instructions for the Courts). Compiled by Pah. Scefan Burke under the auspices of Wallachian prince Barbu Dimitrie Scirbei. Buc., 1861. 98 p. Printed in Romanian Cyrillic. (DLC)

15. Epistolar sau modele de scrisori pentru tot felul de trebuinţe . . . coprinzător de scrisori de negoţ . . . (Forms of Business Letters). Buc., 1840. 344 p. Printed in Romanian Cyrillic. (DLC)

16. Fotino, Mihail. Manual de legi (Manual of Laws). [Printed in Wallachia], 1765–1766.

17. Ghica, Alexandru D. Regulament judicătoresc (Regulations of Administration of Justice taken from Regulamentul Organic) (No. 24). Buc., 1839, 188 p. Printed in Romanian Cyrillic. (DLC)

18. Gika [Ghika], Scarlat N. Dreptul comercial român dupe principulile şi ordinul condicii de comerţ (Romanian Commercial Law in Accordance with the Principles of the Commercial Code). Buc., 1853. 479 p. Printed in Romanian Cyrillic. (DLC)

19. Ipsilanti, Alexandru. Mic manual de legi [Pravila] (Small Manual of Laws). Buc., 1780. 51 l., 141 p. Title in Greek letters, text in Romanian and Greek; 2nd ed. as Pravilniceasca Condică,

edited by K. N. Brăiloiu. Buc., 1841; 3d ed. edited by Ioan M.
Bujoreanu in No. 74, v. 2, Buc., 1875; edited by Hamangiu, *in*
Codul general al României, 2nd ed., v. 1, Buc., 1907. (DLC);
edited by Berechet. Chişinău, 1930; edited by Zepos, publication
of the Academy in Athens, v. 4, No. 2, 1936; Buc., 1957. 268 p.
(DLC)

20. Legiuirea . . . Caragea [Pravila] (Code of Caragea). Edited by
Caracaş, 1818, 56 l. Printed in Romanian Cyrillic. (DLC); edited
by S. Marcovici, 2nd ed. 1838. 115 p. Printed in Romanian Cyril-
lic. (DLC); also in *Buletinul Oficial,* No. 47, July 15, 1838; edited
by C. N. Barbatescu, *in* Cursul dreptului civil român sau ecspli-
carea paraprafelor de legi civile după ordinea pravilei lui Cara-
gea. Buc., 1849, 616 p. Printed in Romanian Cyrillic. (DLC);
edited by Brailoiu as *Legiurile civile ale Ţării Româneşti* . . .
Buc., 1854. 241 p. Printed in Romanian Cyrillic. (DLC); edited
by C. N. Brailoiu, Buc., 1865. 900 p. (DLC); edited by Ioan M.
Bujoreanu, (No. 74), v. 2 (?) Buc., 1875; edited by Dem. D. Stoe-
nescu, Craiova, 1905. 245 p.; edited by Ion Palade, Buc., 1907;
edited by Hamangiu in *Codul generaĭ al Românieĭ,* 2nd ed., v. 1,
Buc., 1907; edited by C. C. Giurescu, Buc., 1923.; 1955. 399 p.
(DLC)

21. Lucrările Obşteştei Adunări (Records of the National Assem-
bly). Buc., 1831–1833. 3 v. Printed in Romanian Cyrillic. (DLC)
See also No. 101.

22. Petroni, Vasilache. Comentăriile dreptului penalu (Commen-
taries on Criminal Law). Buc., 1857. 514 p. Printed in Romanian
Cyrillic. (DLC)

23. [Pravila lui Mateiu Basarab *or* Pravila cea mare] (a) Indrep-
tarea legii cu Dumnezeu care are toată judecata arhierească şi îm-
părătească (A Collection of Laws Known as the Code *(Pravila)*
of Mateiu Basarab). Târgovişte, 1652. ca 405 l. Printed in Ro-
manian Cyrillic. (DLC); (b) Pravila cea mică [Pravila dela Go-
vora] (A Small Manual of Laws). Govora, 1640. Both reprinted
by Bujoreanu (No. 74). Vol. 3, 1895, p. 138 ff.

24. Regulamentul Organic (Organic Act). Buc., 1832. 197 p.
Printed in Romanian Cyrillic. (DLC); 1847. 691 p. Printed in
Romanian Cyrillic. (DLC) *See also* Nos. 10, 217, 220.

25. Scirbei, Barbu Dimitrie (Domn). Condica criminală cu pro-

cedura ei (Criminal Law and Criminal Procedure). Buc., 1851. 237 p. Printed in Romanian Cyrillic. (DLC)

It is known as the Ghica-Ştirbey Criminal Code.

3. Moldavia and Wallachia

26. Colson, Felix. Scurtă descriere a drepturilor moldovenilor şi a muntenilor fondate pe dreptul ginţilor şi pe trataturi (A Study of the Rights of the Moldavians and Wallachians Based on Nationality Laws and Treaties). Translated from the French by D. A. Sturdza. Iaşi, 1856. (No. 1327b)

27. Harmenopoulos, Konstantinos, 1320–1380. Manualul legilor [Hextabiblos] (A Manual of Laws, Known as Six Books). Translation into Romanian by Ioan Peretz. Buc., 1921. 560 p. (DLC)

It was printed in Old Greek, Paris 1540; translated into Latin as *Promptuarium juris,* it appeared in Cologne 1549, 1556, 1566; Lausanne 1580 (DLC); Lyons 1656 (DLC); in Greek and Latin Geneva 1587 (DLC); in German, 1566; Frankfort on the M., 1574; 1576. It was printed in modern Greek, Venice, 1740, 1766, 1805, 1810. Translated into English *as* A Manual of Byzantine Law. Cambridge, 1850 (DLC); For Russian editions, *see* No. 1562.

B. Modern Writings

28. Arion, Dinu C. Formarea proprietăţii rurale în Muntenia şi Moldova (Rural Property in Wallachia and Moldavia). *Convorbiri literare* (Buc.), March 1934.

28.1. Bogdan, Damian P. Acte moldoveneşti dinainte de Ştefan cel Mare (Moldavian Documents before Ştefan cel Mare). Buc., 1938. 80 p. (DLC)

29. Bogdan, Ioan. Vechile cronici moldovene până la Ureche (Old Moldavian History up to the Time of Ureche [18th Century]). Buc., 1891.

30. Bonacchi, Mihaiu (Gregoriadi-Bonachi). Persóna morală în codicele Calimach (Corporations in Callimah Code). Buc., 1895.

31. Casso, (Kasso) L. Dreptul bizantin în Basarabia. 1907 (Byzantine Law in Bessarabia). Chişinău, 1923. 119 p. Translation from Russian, *see* No. 1563.1.

32. Codul Calimach. Ediție critică (The Code of Callimach, a Critical Edition). Buc., 1958. 1016 p. (DLC) Text of Code is printed in Romanian and Greek.

For earlier editions *see* No. 3.

32.1. Costăchescu, Mihai. (a) Documente moldovenești înainte de Ștefan cel Mare (Moldavian Documents before Ștefan cel Mare). Iași, 1931–1932. 2 v.; (b) Documente moldovenești dela Bogdan voevod (1504–1517) (Moldavian Documents from the Time of Prince Bogdan. 1504–1517). Buc., 1940. 590 p. (DLC)

33. Condurato, Gr. Codul lui Alexandru-cel-Bun (Code of Alexander the Good of 1432). *Dreptul* (Buc.), No. 19, 1904. (DLC)

34. Codex civilis Moldaviae–Codex civilis Valachiae–Collectio morum graecorum localium. Athens, 1931. 583 p. (DLC)

35. Corvian, N. Aplicarea așezământului fiscal al lui Constantin Mavrocordat cu privire la perceperea birului, 1741–1743 (Taxation Enacted by Constantin Mavrocordat, 1741–1743). *Studii și cecetări științifice* (Iași), 1955: 51–76.

36. Donici, Andronachi. Manualul juridic (Legal Manual). Academy of the R. P. R. Buc., 1959. 184 p. (DLC)

For early editions *see* No. 4.

37. Filitti, Ioan C. (a) Considerații generale despre vechea organizare fiscală a Principatelor Române până la Regulamentele Organice (General Consideration of Old Fiscal Organization of Romanian Principalities until the Organic Acts). Buc., 1935; (b) Despre vechea organizare administrativă a Principatelor Române (The Old Administration of the Romanian Principalities). Buc., 1935. 76 p.; (c) Incercări de reforme în Muntenia sub Grigore Ghica Vodă (Reforms in Wallachia under Prince Grigore Ghica). *Convorbiri literare* (Iași), Oct. 1906; (d) Proprietatea solului în Principatele Române până la 1864 (Land Property in the Romanian Principalities Before 1864). Buc., 1935. 319 p.

38. Georgescu, Valentin Al. Dreptul de protimisis în Moldova și Țara Românească (Right of Family Property in Moldavia and Wallachia). Buc., 1959.

39. Georgescu–Vrancea, C. Dreptul local basarabean menținut prin legea de extindere din 4 Aprilie 1928 (Local Laws in Bessarabia as Kept in Force by Law of April 4th, 1928). Buc., 1935 (?). 84 p.

40. Iavorschi, Ioan. Dreptul feudal scris al Moldovei şi Ţării Româneşti (Moldavian and Wallachian Written Feudal Law). Iaşi, 1956. 118 p.

41. Ionescu, Nicolae. Discursuri asupra epocei lui Mateiu Basarab şi Vasile Lupu (Mateiu Basarab and Vasile Lupu. Discourses). Iaşi(?), 1868.

41.1. Indreptarea Legii (A Collection of Laws Known as the Code (*Pravila*) of Mateiu Basarab). Buc., Academy of the R.P.R., 1962. 1016 p. For earlier editions, *see* No. 23.

42. Longinescu, S. G. (a) Pravila lui Alexandru cel Bun (The Code of Alexander the Good). Buc., 1909; (b) Pravila lui Vasile Lupu şi Prosper Farinaccius (The Code of Vasile Lupu and Prosper Farinaccius). Buc., 1909.

43. Minea, I. Reforma lui Constantin Mavrocordat (Constantin Mavrocordat's Reform). Iaşi, 1927. 155 p.

44. Negulescu, Paul. Regulamentele Organice (Organic Acts). Buc., 1943.

44.1. Panaitescu, P. P. Documentele Ţării–Româneşti. I. Documentele interne, 1369–1490 (Wallachia's Documents. National Documents, 1369–1490). Buc., 1938–(?). (DLC)

45. Peretz, I. (a) Pravila cea mică (A Small Manual of Laws). *Revista pentru istorie, arheologie şi filozofie* (Buc.), 1910; (b) Pravilele lui Vasile Lupu şi izvoarele greceşti (Rules of Vasile Lupu and Their Greek Sources). Iaşi, 1915. *See also* No. 8; (c) Privilegiul masculinităţei în pravilniceasca condică Ipsilant şi legiuirea Caragea (Privileges of the Males in Ypsilanti and Caragea Legislation). Buc., 1905; 1910. 69 (?) p.

46. Pergament, Iosif. Despre aplicarea legilor Harmenopol şi Donici, 1905 (About Application of Harmenopol and Donici Laws). Translation from the Russian by A. Varzar *and* P. Davidescu. Chişinău, 1925. (No. 1568b).

47. Rădulescu, A. (a) Dispoziţiuni din vechiul drept Moldovenesc privitoare la testatamente (The Testaments in Old Moldavian Law). *Dreptul* (Buc.), No. 55, 1908; (b) Dreptul românesc în Basarabia (Romanian Law in Bessarabia). Buc., 1943. 39 p.; (c) Isvoarele codului Calimach (Sources of Callimach Code). Buc., 1927. 34 p.; (d) Juristul Andronache Donici (Andronache Donici, Jurist). Buc., 1906; 1930; (e) Publicarea izvoarelor dreptului

românesc scris din Țara Românească și Moldova până la 1865
(The Publication of Romanian Written Sources of Law in Wal-
lachia and Moldavia up to 1865). Buc., 1949(?). 13 p.

48. Rosetti, Radu. (a) Despre cenzura în Moldova (The Censure
in Moldavia). *Analele Academiei Române* (Buc.), 1907; (b)
Pământul, sătenii și stăpânii în Moldova. Dela origini până la
1834 (Land, Peasants and Landlords in Moldavia, from Origin
up to 1834). Buc., 1907. 5 v. (DLC v. 1)

48.1. Simionescu, Dan. Condica de obiceiuri vechi și nouă a lui
Gheorgachi logofătul (Old and New Customary Law Codified
by Gheorgachi). Buc., 1938(?).

49. Sărățeanu, C. Trecutul judecătoresc al Moldovei. Discurs
(Moldavian Justice in the Past). Buc., 1902. 50 p. (DLC)

50. Tanoviceanu, I. Formarea proprietății funciare în Moldova
(Formation of Rural Property in Moldavia). *In* Prinos lui D. A.
Sturdza. Buc., 1903: 413–433.

51. Ungureanu, Gh. Justiția in Moldova, 1741–1832 (Justice in
Moldavia, 1741–1832). Iași, 1934. 95 p.

52. Uricariul cuprindetoru de hrisove, ispisoce, urice, anaforale,
proclamațiuni, hatiserife, și alte acte de ale Moldovei și Țărei
Românesci, de pe la anul 1461, și până la 1854 (Old Documents
Including *Chrisovuls,* Charters, Grants, and Reports of the Au-
thorities to the Prince, Proclamations, Sultan's Orders and Other
Acts of Moldavia and Wallachia from 1461 to 1854). Under the
direction of Theodor Codrescu. Iași, 1852–1895, vols. 1–25, index
to vols. 1–15. (DLC 6–25, index)

53. Vasiliu–Barnoski, D. (a) Constituția Cărvunarilor (Constitu-
tion of Carbonari). *Revista de drept public* (Buc.), 1926: 263
ff.; (b) Originele democrației romane "Carvunarii." Constituția
Moldovei dela 1822 (Sources of Romanian Democracy: "Carvu-
narii." Moldavian Constitution of 1822). Iași, 1922 (?). 336 p.

54. Zotta, Sever. Date nouă cu privire la Andronachi Donici (New
Data on Andronachi Donici). Iași, 1915. 11 p.

4

LEGAL SYSTEM AFTER
THE ESTABLISHMENT OF ROMANIA

A.   Constitution and Laws

The Paris Conference of 1856 which followed the Crimean War prepared the ground for the unification of the Romanian Principalities of Moldavia and Wallachia. It also laid the foundation for a new constitutional system of these Principalities.

The Paris Agreement of August 19, 1858 and the Constitutional Act of May 2, 1864 amended on July 2, 1864, which followed the uniting of the Romanian Principalities into one nation, Romania, on January 24, 1862, served as the fundamental laws of the Principalities until 1866 when the first Romanian Constitution was enacted. This Constitution was a liberal one and closely followed the Belgian Constitution of 1831, which was considered at that time to be the most advanced in Europe.

During the almost sixty years of its existence this first fundamental law was amended several times, following the major changes in Romanian history.

Romania became a kingdom in 1881. After the Treaty of Berlin (1878) the recognition of Romanian independence and a guarantee of civil and political rights of Romanian citizens regardless of their religious beliefs was written into the Constitution. An amendment to bring greater democratization to the country was made on June 1, 1884, and the enactment of universal suffrage and the acquisition of new territories after World War I caused the amendments of 1917 and 1918.

However, the Great Romania as it emerged after World War I required a new constitution which was enacted in 1923. The new constitution closely followed the pattern of its predecessor, the Constitution of 1866, in which the basic principle of constitutional supremacy and legality was stated: and was supported by three powerful pillars: the judicial control of the constitutionality of the laws (Art. 103), the control of the legality of the acts of the executive by the courts (Arts. 99 and 107)), and the security of the tenure of judges (Art. 104) for the unobstructed fulfillment of the essential task. The Judiciary was thus given a key position in the constitutional system and constitutional guarantees could be enforced by the courts. This constitution was in force until 1938.

On February 27, 1938, a new constitution was enacted by the King and approved by a plebiscite (No. 263). The existing parliamentary system was replaced by a "corporate state," but to a certain extent other principles of the earlier constitution were preserved. A coup d'état caused the abdication of King Carol II in September 1940, and brought about the suspension of the Constitution of 1938.

After the end of World War II, the old democratic Constitution of 1923 was reenacted in August 1944 by King Michael I. However, its democratic provisions were not in tune with the rise of the Communists to power, and in 1948, another constitution was enacted which was totally different in nature and content and completely foreign in spirit and ideology.

The 1948 Communist constitution abolished the principle of sovereignty of the Romanian nation, the separation of powers, constitutional supremacy, and judicial review of the constitutionality of legislative and executive acts. It proclaimed state ownership of the means of production but guaranteed private property (Art. 8). Soon it ceased to reflect the steps taken on the road to communism. In 1952 a new communist constitution was enacted (No. 288) and is still in force with some amendments.

The social structure is of the communist type based politically on the doctrine of the dictatorship of the proletariat and economically on state and collective ownership of the means of production.

The 1952 Constitution may at first glance resemble a democratic constitution. It provides for a Grand National Assembly, an elected quasi legislature, and a Cabinet elected by it, the Council of Ministers. But there is also a Presidium (a collective president), a small essentially executive body elected by the Grand National Assembly and exercising broad powers. There is no separation of powers, no supremacy of the constitution, and no protection of human rights, status of property, universal suffrage, and representative government.

The Constitution is not the supreme law of the land but merely a reflection of the progress on the road to communism on the date when the constitution was enacted. It does not bind the authorities nor afford guarantees to the people.

In theory the National Assembly alone issues acts called "laws," but only a few are issued. It convenes only twice a year and only for brief sessions. The Presidium, which is a small body, issues decrees in the intervals between sessions, and the Council of Ministers, in the capacity of the higher executive body, issues decisions and ordinances. When the Constitution of 1952 was amended in 1961 the Presidium was replaced by a State Council (Law No. 1 of March 21, 1961, B. O. No. 9, March 25, 1961).

B.   The Administration of Justice

To complete the contrast between Romania today and before World War II reference should be made to the fundamentally different concepts of the administration of justice. In the earlier Romania the Judiciary was a distinct and independent branch of the Government. The principle of separation of powers was proclaimed by the constitutions of 1866, 1923 and 1938, and security of tenure was the guarantee of the independence of judges. The doctrine of the concentration of governmental power replaced the principle of the separation of powers. Thus the Judiciary lost its independence and as early as 1947 the Minister of Justice was given power to remove judges at will.

Government attorneys (public prosecutors) supplanted judges as the guardians of observance of the law and courts were relegated to a subordinate position. The Attorney General of the People's Republic of Romania, created in 1952, has supreme supervisory powers to ensure the observance of the law by the ministries and the central and local agencies of governmental power and administration, as well as by officials (Constitution, Art. 73). He also supervises the uniform and just application of the laws and the decisions of the Council of Ministers by the courts throughout the Republic. He can appeal any decision of the central and local government agencies. The Attorney General and the government attorneys subordinate to him conduct pre-trial proceedings. The crime investigator is an agent of the prosecution and not of the Judiciary, like the examining magistrate [investigation judge] of the previous organization.*

C.   The Communist Party

Finally, there is also an extralegal element among the sources of law and in the law enforcement process. The joint decisions of the Central Committee of the Communist Party and the Council of Ministers constitute a kind of source of law binding on all the government agencies, including the courts.

The Communist Party has a constitutional standing in Romania, as described by Art. 86(4) of the Constitution. The Party is a directive force of the organizations of toilers as well as of the agencies and institutions of the State. Around it are grouped together all the organizations of those who work in the Romanian People's Republic. Or, as a legal writer put it, "the activities of the agencies of the Romanian People's Democratic State evolve under the directions and guidance of the Romanian Workers' Party [the official name of the Communist Party]." (¹)

---

* *In* No. 889, p. 48.

1 *In* No. 285, p. 63.

D.   Unification of Criminal and Civil Law in Romania

Romania emerged from World War I with four different systems of civil and criminal law, and before World War II broke out, prepared a uniform criminal code which took effect on January 1, 1937, and a civil code which was enacted in 1939 but never went into effect. Both of these codes had a complex history.

I. The Criminal Code

In 1918 Great Romania inherited the following codes. The Criminal Code of October 30, 1864 copied from the French Criminal Code of 1812 was in force in the Old Kingdom. Its effect was extended as early as June 1, 1919 to the Province of Bessarabia, where it replaced the Russian Criminal Code of 1885, and the Code of 1903 which was only in part in force, and the Code of Minor Crimes of 1864.

The Hungarian Criminal Code (Law No. V of 1878) on Major and Minor Crimes, the Hungarian Criminal Code on Petty Offences (Law No. XL 1879), and various special laws concerning minors, vagrants, the press and other problems were in force in Transylvania, Banat, Crisana and Maramures.

The Austrian Criminal Code of May 27, 1852, and the Austrian Criminal Law of December 17, 1872, were in force in Bukovina.

In 1936 all these statutes with their amendments were repealed by the Criminal Code Carol II (M. O. No. 65, March 18, 1936), which went into effect throughout Romania on January 1, 1937 (No. 512). This Code was never repealed under Communist rule, but from the inception of the new regime an enormous number of penal laws were enacted, and numerous penal clauses appeared in economic and other laws which are in palpable contradiction to the provisions of the Code of 1937.

In 1948 the Code of 1937 was revised to incorporate new provisions and was reenacted as the Criminal Code of the People's Republic of Romania. However, new penal statutes continued to appear and the Code was again amended. In addition, other penal laws were enacted but not incorporated into the Code. Decree No. 202 of 1953 incorporated most of the scattered provisions in the

Code, and new titles, chapters and articles were inserted into it. A new edition of the Criminal Code included all amendments up to May 22, 1955 (No. 513[a]). It was superceded by the latest official text which contains all amendments up to December 1, 1960 (No. 513[c]). This modified code of 1937 contains criminal provisions based on many precepts totally foreign to its original provisions.

2. The Civil Code

The Kingdom of Romania, within the frontiers which existed prior to World War I, was governed by the Romanian Civil Code enacted on December 4, 1864, which closely followed the French Civil Code.

Bukovina was governed by the general Austrian Civil Code of 1811.

The same Austrian Civil Code was in effect in Transylvania, with changes introduced after 1861 by the Hungarian Parliament. Such changes were enacted only in regard to marriage and divorce in 1894 and to the form of testaments in 1874. However, in certain communities in the districts of the Courts of Appeal of Cluj, Oradea and Timisoara, Hungarian customary law was in force, as expressed in judicial precedents. This situation was continued at first under Romanian rule.

The effect of the Romanian Civil Code of 1864 was extended to Bessarabia, part in 1919 and the rest in 1928, and to Bukovina in 1938, with the exception of the provisions concerning domestic relations for which the prior rules of law remained in force.

Moreover, a new civil code for the entire Kingdom of Romania was enacted in 1939 (No. 360) and promulgated, but the effective date for this code was postponed several times until its enforcement was postponed *sine die* by Decree No. 4225 of December 31, 1940.

Under the dictate of Vienna in August 1940, the northern part of Transylvania was occupied by Hungary and the Hungarian government substituted Hungarian civil law for the Austrian General Civil Code of 1811 on February 6, 1942. However, on September 15, 1943 the Romanian government extended the effect of the Romanian Civil Code of 1864 to southern Transylvania, and after the northern part was returned to it in 1944, the whole Romanian legislation, including the Civil Code of 1864. Thus, in the long run the Old Romanian Civil Code of 1864 was extended to the entire territory on the eve of the end of World War II.

The establishment of communist rule in Romania was followed by a series of nationalization decrees, confiscatory in nature. These and other laws, without directly amending the Civil Code of 1864, introduced provisions conflicting with it. This created confusion because the Code and the new laws were to apply simultaneously. Moreover, the Family Code of 1953 and the Decree on Persons and Legal Entities of 1954, took effect on February 1, 1954, expressly repealing Articles 6–133, 135–460, and 1223–1293 of the Civil Code of 1864 and any other laws contrary to the provisions of these two decrees (No. 906). To terminate this situation a new officially revised text of the Civil Code of 1864 as it was in force on July 15, 1958, was published (No. 361).

5

PRIMARY SOURCES OF ROMANIAN LAW

A.   Official Gazettes, Official Collections of Laws, Indexes

See also Nos.: 1–8; 11–14; 16; 17; 19; 20; 23–25; 32; 34; 36; 742; 1562; 1563; 1565; 1566; 1567; 1568c; 1569; 1570.

55. *Buletin, gazetă administrativă* (Bulletin, Administrative Gazette). December 8, 1832–January 6, 1859. In Romanian Cyrillic.

> Title varies: 1848-1849, *Foae officială;* 1850-1859, *Buletin official.* Beginning in 1853 in the Latin alphabet. Continued as *Monitorul Oficial.*

55.1. *Buletin ofițial extraordinar a[1] Principatului Moldovei* (Extraordinary Official Bulletin of the Principality of Moldavia). Iași(?), No. 1–18, May 30–August 28, 1857.

55.2. *Buletinul oficial a[1] Moldovei* (Official Bulletin of Moldavia). Iași, No. 1–27, January 22, 1833–September 27, 1859.

> Title varies. At head of title December 11, 1858–September 27, 1859, *Principatele—Unite Moldova și Valahiea.*

55.3. *Foaea de publicații oficiale* (Publication of Official Information). Iași(?), 1858–1863.

> Vol. 1–4, No. 72 as *Monitorul oficialu al Moldavii. Principatele—Unite Moldova și Valahia.* Title varies slightly.

55.4. *Moniteur officiel de Moldavie. Principautés—Unies de Moldavie et de Valachie.* Buc.(?), 1858–1861.

55.5. *Bulletinulu legiloru Principateloru—Unite Române* (Bulletin of Laws Enacted in the United Principalities of Romania). Buc., 1859–1865.

56. *Monitorul Oficial al României* (Official Gazette of Romania). January 29, 1859–February 1949. (DLC 1872–1949)

> Title varies: 1860-1861, *Monitorul ziar oficial;* 1862-1869 August, *Monitorulu jurnalu oficiale;* 1869-1875, *Monitorul Oficial.* Subtitle varies slightly. Continues *Buletin, gazetă administrativă.* Continued as *Buletinul Oficial al R. P. Române.*
> 1882-1948 has two parts: part I. Legi, decrete (Laws and Decrees); part II. Jurnale ale Cosiliului de Miniştrii, deciziuni ministeriale, etc. (Ordinances of the Council of Ministers and Regulations of Individual Ministers). 1926-37 had part III also: Desbaterile parlamentare (Parliamentary Records). *See* Nos.: 104, 106, 107.

56.1. *Gazeta oficială a Consiliului Dirigent al Transilvaniei, Banatului şi Ţinuturilor Româneşti* . . . (Official Gazette of the Romanian Council (Directorate) for Transilvania, Banat and the Romanian Territories . . .). 1918–1920(?).

56.2. *Gazeta oficială a comisiunii regionale de unificare din Cluj* (Official Gazette of the Regional Commission of Unification Located in Cluj). Cluj, 1920–1922(?).

56.3. *Moniteur de Transylvanie* . . . *Bulletin roumain d'information.* Cluj(?), Vol. I, No. 1–31, 1919.

56.4. *Monitorul Bucovinei* (Official Records of Bukovina). Cernăuţi(?), 1918/1919–1922(?).

57. *Buletinul Oficial al Republicii Populare Române* (Official Bulletin of the Romanian People's Republic). March 2, 1949–Continues *Monitorul Oficial* (DLC 1949–).

58. *Colecţia de hotărîri şi dispoziţii ale Consiliului de Miniştri al R. P. R.* (Collection of Resolutions and Ordinances of the Council of Ministers of the R. P. R.). Weekly. Buc., 1951– (DLC 1957–1959; 1961–1962)

59. *Colecţiune de legi şi regulamente,* 1916–1923 (Collection of Laws). Iaşi, Ministry of Justice, 1918–1925. 6 v. (DLC); Buc., 1924. 5 v.; Buc., v. 1–14, 1924–1937. (DLC)

60. *Colecţie de legi şi decrete ale Consiliului Legislativ* (Collection of Laws and Decrees Published by the Legislative Council). Buc., 1885. 170 p.; v. 1–25, 1924–1937. (DLC v. 4–25)

61. *Colecţie de legi, decrete, hotărîri, şi deciziuni* (Collection of Laws, Decrees, Resolutions and Ordinances). Buc., Ministry of Justice, 1949(?)– (DLC 1950–1962)

62. Fișier legislativ pe probleme (Subject Index to Legislation). Buc., 1957. 2 v. (DLC)

63. Indreptarul legislației uzuale pentru lucrătorii din justiție (Cyclopedia of Laws for Judicial Officials). Buc., Ministry of Justice, 1957— (DLC 1–4)

64. Repertoriu general alfabetic, 1880–1940 (General Alphabetic Index, 1880–1940). Buc., 1940. 2 v. (DLC)

65. Repertoriul analitic . . . 1942 (Alphabetic Index 1942). Buc., 1943. Supplement I, 1942. 323 p. (DLC)

66. Repertoriul general al legislației în vigoare (General Index to Laws in Force). Buc., 1950; Buc., 1957. 1082 p. (DLC); Supplement. Buc. 1958. 367 p. (DLC)

B. General Collections of Laws Privately Printed

67. Atanasiade, I. B. Prescurtare de legislațiunea populară pentru usulu Șcólleloru de adulți alle Societății pentru Invățătura Poporului Românu (Popular Edition of Romanian Legislation). Buc., 1873.

68. Bădulescu, Dim. C., Victor Rațiu *and* Const. Țunescu, *editors.* Colecțiunea generală a legilor României pe anul 1905 (General Collection of Romanian Laws, 1905). Buc., 1907. 388 p.

69. Bădulescu, George. Legi usuale (Laws for Everyday Use). Buc., 1893.

70. Barozzi, Ioan C. (a) Colecțiune de coduri purtative adnotate (Collection of Codes, Annotated; Pocket Edition). Buc., 1910. 5 v.; (b) Repertoriul general de jurisprudență română al Inaltei Curți de Casație și Justiție (General Index of Supreme Court Decisions). Buc., 1908.

71. Biblioteca legilor uzuale adnotate (Collection of Laws in Use, Annotated). Buc., 1933 (?).

72. Boerescu, B., *editor.* (a) Codicele române Alexandru Ion seu collecțiune de legile Principatelor Unite Române . . . și cu unu suplimentu . . ., 1859–1865 (Romanian Codes of Alexandru Ion or Collection of Laws of the Romanian United Principalities . . ., 1859–1865). Buc., 1865; 2d ed. (1869–1885), with supplement. Buc., 1886; (b) Codicele române séu colecția tuturor legilor Ro-

mâniei (Compiled Codes of Romania or Collection of all Romanian Laws). Buc., 1871. 460 p. (DLC); 2d ed. 1873.

73. Botez, Corneliu. (a) Codicele de şedinţă al judecătorului de pace, adnotat şi comentat (Cyclopedia for Justices of the Peace, Annotated). Botoşani, 1902. 600(?) p.; 2d ed. 1906. 2 v.; 3d ed. 1908. 1400 p.; (b) Noul codice de şedinţă al judecătorului de ocol adnotat şi comentat (Cyclopedia for Justices of the Peace, Annotated). Buc., 1922. 3 v. (DLC)

74. Bujoreanu, Ioan M., editor. Colecţiune de legiuirile României, vechi şi noi (Collection of Old and New Romanian Laws). Buc., 1873–1895 (?). Several vols. (DLC, v. 3, 1885.)

75. Călăuza juristului (Guide for Jurists). Buc., 1956. 346 p.

76 Ciocanelly, Aristid P. Noul codice de legiuri. Cuprinzend: legi judiciare, financiare, administrative şi comunale (New Code of Judicial, Financial, Administrative, and Local Laws). Buc., 1886.

77. Cristoforeanu, E. Reforma codicelor (Reform of Codes). Dreptul (Buc.), 1928: 89–91, 115–118, 154–157, 185–188. (DLC)

78. Dan, Em. Codul general al judecătorului de ocol (Manual for Justices of the Peace). Buc., 1908. 346 p. (DLC)

79. Erbiceanu, V. Legiuiri locale basarabene (Local Laws of Bessarabia). Chişinău(?), 1921. 298 p.

80. Finţescu, I. N. Manual de şedinţă (Manual for Judicial Sessions). Craiova, 1924. 1880 p. (DLC)

81. Fratoştiţeanu, George N., editor. Colecţiunea de coduri adnotate (Collection of Codes, Annotated). Buc., 1905.

82. Geamănu, Gr., joint author. Indreptar legislativ pentru practica judiciară la tribunalele militare (A Legislative Guide for the Practice in Military Courts). Buc., 1956. 148 p.

83. Gelian, Gr. C. Căleuza inginerului şi avocatului în materie de hotărnicii (Guide for Engineers and Lawyers in Border Disputes). Buc., 1887.

84. Gheţu, Ion Ph. Codicele de şedinţă ale României (Cyclopedia of Judges in Romania with Supplements). Ploesci, 1892. 1707 p. (DLC); 1st Supplement. Ploesci, 1895. 823 p. (DLC); 2d Supplement. Ploesci, 1902. 1219 p.; 3d Supplement. Buc., 1903. 1433 p.; 2d ed., Buc., 1905. 2708 p. (DLC)

85. Hamangiu, Constantin, editor. (a) Codex Romaniae (Romanian

Code). Buc., 1926. 937 p. (DLC); (b) Codul de audienţă (Cyclopedia for Justices). Buc., 1929; 4th ed. 1932. 839 p. (DLC)

86. Hamangiu, Constantin, *joint editor*. Codul general al României. Intocmai după textele oficiale, 1856–1942 (General Code of Romania. Includes Laws in Force from 1856 to 1942). Buc., 1899; 1900 (1909), 5 v. Supplements 1908/09; 2d ed. 1907, 3 v.; 1907/08–1910/12, v. 4–7 (DLC); 1914 (?)–1942, v. 1– 30. (DLC)

87. Legea . . . Many individual laws were reprinted from the M. O. in the form of separate pamphlets.

88. Nedelescu, Ion I. (a) Legislaţia Statului Legionar (5 Septembrie, 1940–31 Decembrie, 1940) (Legislation of Legionary State). Buc., 1940. v. 1–4, (DLC); (b) Legislaţia Statului National Român, January 1, 1941–February 28, 1943 (Legislation of the Romanian National State). Buc., 1941–1943. v. 5–27. (DLC)

89. Şerbescul, Constatin. Codicii Români (Romanian Codes with Supplement). Galaţi, 1889. 1939 p.

90. Vasilescu, George. Repertoriul general al legislaţiei române (General Index of Romanian Laws). Buc. (?), 1940.

C.   Collections of Court Decisions

See also Nos.: 70b; 113; 125; 129–136; 138; 140–142; 146; 148; 155; 1027; 1564.

91. Blancfort, Al., *editor*. Jurisprudenţa Inaltei Curţi de Casaţie şi Justiţie asupra codului civil român, 1866–1885 (Civil Decisions of the Supreme Court, 1866–1885). Iaşi, 1885. 672 p. (DLC); Supplement, Iaşi, 1888.

92. *Buletinul deciziunilor* (Bulletin of Court Decisions). Buc., 1862–1944. (DLC)

> Periodical issued by the Court under various titles: 1862-68, Curtea de Cassaţiune şi de Justiţie; 1869-1881, Curtea de Cassaţiune; 1882-99, 1909, Curtea de Cassaţiune şi de Justiţie; 1900-1908, 1919, Curtea de Casaţie şi de Justiţie.

92.1. *Buletinul sentinţelor Inaltei Curţi de Conturi* (Bulletin of the Supreme Court of Accounting). Buc., 1874–? (DLC: April 1875)

93. Culegere de decizii ale plenului şi colegiilor tribunalului suprem

al R. P. R. (Collection of Decisions of the Plenary Sessions and of the Divisions of the Supreme Court of the R. P. R.). Buc., 1954. 2 v. (DLC); 1955. 3 v. (DLC); 1956. 456 p. (DLC); 1957. 482 p. (DLC); 1958. 472 p. (DLC); 1959. 487 p. (DLC); 1960. 631 p. (DLC)

94. Dimitriu, Adrian D. *and* Camil Gall, *editors*. Repertoriu alfabetic de practică judiciară. Rezumate ale hotărârilor judecătorești (Index-Digest to Court Decisions). Buc., 1958. 400 p. (DLC)

95. Docan, George P. Repertoriu de judisprudență rezumată. Soluțiunile Inaltei Curți de Casație publicate în ultimii cinci ani, 1934–1938 (Index-Digest of the Decisions of the Supreme Court of Justice, 1934–1938). Buc., 1940 (?).

96. Lesviodax, Al., *editor*. Jurisprudența Inaltei Curți de Casație Secțiuni-Unite în mateeie penală, civilă și comercială, dela înființare până la zi, 1862–1947 (Criminal, Civil and Commercial Decisions of the Supreme Court in Plenary Sessions from Its Founding to Date, 1862–1947). Buc., 1947. 240 p.

97. Mihăilescu, Filip *and* Stelian Popescu, *editors*. Jurisprudența Inaltei Curți de Casație S. I. și a Secțiunilor-Unite în materie civilă (Collection of Civil Decisions of the Supreme Court, Div., I, and of the Plenary Sessions). Buc., 1944.

98. Popescu, Const., Const. Buznea *and* Ilie Dragomirescu. Jurisprudența penală a Inaltei Curți de Casație (Collection of Criminal Decisions of the Supreme Court). Buc., 1943. 536 p.

99. Popescu, Stelian. Jurisprudența Inaltei Curți de Casație în materie comercială pe anii 1916–1947 (Collection of Decisions of the Supreme Court on Commercial Law for the Years 1916–1947). Buc., 1947 (?). 232 p.

100. Presa judiciară. Deciziunile Inaltei Curți de Casație (Judiciary Press. Decisions of the Supreme Court). Buc., 1931.

D. Parliamentary Records

101. Analele parlamentare (Parliamentary Annals). 1831–51. v. 1–16. (DLC)

101.1. Buletinulu ședințeloru Adunărei Ad-Hoc a Moldovei (Bulletin of the Moldavian Ad-Hoc Assembly). Iaşi, 1857–1858. (DLC)

102. Monitorul Adunării Ad-Hoc (Official Record of Ad-Hoc Assembly). Oct. 17, 1857–January 4, 1858. (DLC)

103. Procès verbaux des séances de l'Assemblée Ad-Hoc . . . Sept. 30–Dec. 10, 1857.

104. Adunarea Electivă (Assembly of Electors). Desbaterile . . . (Records . . .) 1859/60–66/67; 1859/60–60/61, 65/66–66/67 in, 1861/62–64/65 issued as supplements to *Monitorul Oficial.*

105. Adunarea Legislativă (Legislative Assembly). Protocoalele şedintelor . . . (Minutes of Sessions). Feb. 29, 1860–January 25, 1865.

106. Adunarea Deputaţilor (House of Representatives). Desbaterile . . . (Records . . .). 1866/67–80/81 in later years issued as supplements to *Monitorul Oficial.* (DLC 1902/03–15/16; 1926–1937 in *Monitorul* Oficial, 3d Part).

107. Senatul (Senate). Desbaterile . . . (Records . . .). 1864/65–65/66, 67/68–68/69, 74/75–80/81 and other years supplements to *Monitorul Oficial.* (DLC 1902/03–15/16, 25/26 +; 1932–1937 in *Monitorul Oficial,* 3d Part.).

6

LEGAL AND NONLEGAL PERIODICALS, BIBLIOGRAPHIES AND BIOGRAPHIES

A. Legal Periodicals

See also No.: 1246.

I. Before 1945

108. *Albina românească* (Romanian Bee). Gheorghe Asachi, *editor.* Iași, 1829–?

> There were also published legislative enactments of the Moldavian Government and the decisions of Prince's Councils (*Divanuri Domnești*).

109. *Analele facultății de drept din București* (Annals of School of Law of Bucharest). Quarterly. Buc., 1939–1943. (DLC 1939–1941, 1943, not complete.)

> Includes résumés of the principal articles in French, English, German and Italian.

110. *Arhiva de drept public* (Archive of Public Law). Constantin C. Angelescu, *editor.* Quarterly. Iași, 1939–?

111. *Bulletin de la Société de législation comparée.* Buc., 1939–?

112. *Buletinul academiei de știinte morale și politice* (Bulletin of the Academy of Moral and Political Science). Buc., 1942–1943.

113. *Buletinul curților de apel* (Bulletin of the Courts of Appeal). Gheorghe T. Ionescu, *editor.* Bimonthly. Buc., 1924–? (DLC: 1924–1939)

114. *Buletinul facultății de drept din Iași* (Bulletin of the School of Law of Jassy). Iași, 1930–? (DLC 1930–1931.)

115. *Buletinul institutului de legislație agrară. Universitatea Mihaileană din Iași* (Bulletin of the Institute of Agrarian Legislation of the University of Jassy). Iași, 1936–? (DLC 1936–1937.)

116. *Buletinul juridic al petrolului român. Le Bulletin juridique du pétrole roumain.* Buc., 1928–? (DLC 1928, No. 5.)

117. *Buletinul legiuirilor financiare* (Bulletin of Financial Legislation). Buc., 1882–1892(?).

118. *Buletinul muncii* (Labor Bulletin). Buc., 1920–1939(?). (DLC)

An official periodical of the Ministry of Labor for labor and trade union law, social insurance and social policy.

119. *Cercetări juridice* (Legal Research). Buc., 1941–?

120. *Cercul juridic* (Juridical Association). Craiova, 1913–?

121. *Curierul cooperației române. Organ pentru îndrumarea societăților coopeative. Institutul national al cooperației* (Herald of Romanian Cooperatives. A Publication of the National Institute of Cooperatives). Buc., 1931–? (DLC)

122. *Curierul judiciar* (Legal Courier). Ion Eliade—Rădulescu, *editor.* Buc., 1829–?

There were also published legislative enactments of the Wallachian Government and the decisions of the Prince's Councils (*Divanuri Domnești*).

123. *Curierul judiciar* (Legal Courier). Weekly. Buc., 1892–1945. (DLC 1894–1916, 1919–1939, 1941–1945.)

124. *Cuvântul dreptății* (The Word of Justice), Chișinău, 1920–?

125. *Dreptul, jurisprudență, doctrină, legislație* (The Law. Court Decisions, Jurisprudence, Legislation). Semiweekly, while Court is in session; otherwise, weekly. Buc., 1871–? (DLC 1873–1874, 1880–1900, 1902–1916, 1923–1933.)

Editors: Gr. G. Peucescu; B. P. Missir, 1876. N. Crătunescu, 1878-1880; Mitică Popescu, 1880-1895; Gr. G. Peucescu, 1895-1897; Athanasovici; Degrea, 1898-1900; C. Dissescu, 1900, etc.

126. *Drepturile omului* (Human Rights). Const. A. Fillitis, *editor.* Iași 1884–?

127. *Forme* (Forms). Eug. Herovanu, *editor.* Buc., 1939–?

128. *Gazeta juridică* (Juridical Gazette). Virigiliu Stoicoiu, V. Ştefănescu–Drăgăneşti, and others, *joint editors*. Buc., 1933–1935.

129. *Gazeta tribunalelor* (Courts' Gazette). Aristide Pascal, *editor*. Buc., Nos. 1–104, Dec. 24, 1860–Aug. 21, 1863.

The first Romanian legal periodical including annotated judgments.

130. *Gazeta tribunalelor* (Courts' Gazette). Alfred Djuvara, Lascăr Rosetti, G. A. Varnav-Liteanu *and* Al. Cerban, *editors*. Iaşi, 1900–?

131. *Jurisprudenţa* (Court Decisions). G. Ionescu *and* Al. I. Borş, *editors*. Buc., 1908–?

132. *Jurisprudenţa generală* (General Jurisprudence). Weekly. Buc., 1923–1945. (DLC 1924, 1926–1938, 1940, 1943–1945.)

Court decisions of Romanian and foreign courts, annotated.

133. *Jurisprudenţa română. Jurisprudenţa Curţii de Casaţie* (Romanian Jurisprudence. Decisions of The Supreme Court). Buc., 1911–1939? (DLC: 1914–1924)

134. *Justiţia* (Justice). D. Alexandresco *and* Fl. Sion, *editors*. Bimonthly. Iaşi, 19—1925 (?)

135. *Justiţia Dobrogei* (Justice of Dobrudja). Constanţa, 193?–1943.

136. *Justiţia Olteniei* (Justice of Oltenia). Craiova, 1920–? (DLC 1933.)

137. *Legea* (The Statute). C. N. Toneanu, *editor*. Galaţi, 1907–?

138. *Magazinul judecătoresc* (Court's Magazine). Gh. Costa-Foru, *editor*. Buc., 1855–1872. (DLC 1858–1872.)

139. *Notariatul public* (Notary Public). Cluj, 1937–?

140. *Ordonanţele în référé* (Injunctions). Eugen Petit *and* Trandafirescu, *editors*. Iaşi, 1928–?

141. *Pandectele române* (Romanian Pandects). C. Hamangiu, *joint editor*. Monthly. Buc., 1921–1947. (DLC). *Pandectele alfabetice* (Index to Pandects, 1922–1931). Buc., 1937. (DLC)

Part I, Decisions of the Supreme Court; Part II, Decisions of the Appeal Courts, Trial Courts, etc.; Part III, Authoritative Decisions of Romanian and Foreign Courts. Part IV, Doctrine and Reviews of Law Books and Periodicals.

142. *Pandectele săptămânale* (Weekly Pandects). Buc., 1925–1947(?). (DLC 1925–1927, 1929, 1933–1934, 1936–1945.)

143. *Portofoliul Român* (Romanian Portfolio). Buc., 1881–?

144. *Propășirea* (The Progress). Iași, 1844 (or before)–?

145. *Reforma administrativă* (Administrative Reform). Buc., 1928–?

146. *Repertoriu de jurisprudență administrativă* (An Alphabetical Collection of Decisions of the Administrative Courts). J. H. Vermeulen, *editor*. Buc., 1933–1938 (?). (DLC)

147. *Revista cercului juridic bănățean* (Review of Juridical Association of Banat). Buc., ?–1942.

148. *Revista critică de drept, legislație și jurisprudență* (Critical Review of Law, Legislation and Jurisprudence). C. C. Arion, *editor*. Monthly. Iași (?), 1910–1915?

149. *Revista de drept comercial* (Review of Commercial Law). G. Tașcă *and* A. Chemale, *editors*. Buc., 1934-1947 (?) (DLC 1934–1946.)

       Romanian and foreign court decisions and doctrine, annotated.

150. *Revista de drept internațional* (Review of International Law). N. Titulescu *and* Demetru Negulescu, *editors*. Buc., 1930–?

151. *Revista de drept public a institutului de știinte administrative al României* (Review of Public Law of the Institute of Administrative Science of Romania). Buc., 1926–1939. (DLC)

152. *Revista de drept și sociologie* (Review of Law and Sociology). Buc., 1898–?

153. *Revista generală de administrație* (A General Review of Administration). Matei I. Petrescu, *editor*. Buc., 1903–?

154. *Revista juridică* (Legal Review). I. Suciu, *editor*. Cluj, 1926–?

155. *Revista marilor procese* (A Review of Important Cases). I. Gr. Periețeanu, *editor*. Buc., 1923–?

156. *Revista penală. Organ al cercului de studii penale penitenciare și de poliție științifică. Din 1927, revista de drept penal și știință penitenciară* (Review of Criminal Law of the Association of Criminal Studies on Penitentiaries and Scientific Police. From 1927, Review of Criminal Law and Penitentiary Science). Buc., 1922–1941. (DLC)

156.1. *Revista practică de drept român* (Practical Review of Romanian Law). Mihail D. Cornea, *editor.* Iași (?), 1871– (?).

157. *Revista socială* (Social Review). Iași, 1884–1887 (?).

158. *Rvista societăților și a dreptului comercial* (Review of Corporations and Commercial Law). M. A. Dumitrescu, *editor.* Buc., 1924–?

159. *Revue générale de Droit et Sciences politiques.* N. Bazilescu, *editor. Bimonthly.* Buc (?), 1886– (?)

160. *Revue Internationale de doctrine et Legislation pénale comparée.* Buc. 1938–?

161. *Revue Roumaine de Droit Privé.* Traian R. Ionașco, Mircea Possa, Const. A. Stoeanovici, *editors.* Bimonthly. Buc., 1937–1939 (?) (DLC)

162. *Tribuna juridică* (Legal Tribune). D. Alexandresco, *editor.* Buc. (?), 1919–1922.

163. *Vestitorul românesc* (Romanian News Reporter). Buc., 1836(?)–1845 (?). (DLC 1845)

A semiofficial law gazette.

2. After 1945

164. *Analele româno–sovietice [de] drept* (Romanian–Soviet Legal Annals). Bimonthly. Published by the Institute of the Romanian-Soviet Studies, Legal and economic series. Buc., 1948–1953. (DLC 1952–1953.) From 1960 *Probleme de Drept* (Legal Problems Studies). (DLC 1–6, 1960)

165. *Analele Universității "C. I. Parhon." Seria Științelor Sociale, Științe juridice* (Annals of University "C. I. Parhon." Serial of Social Science, Juridical Science). Buc., 1956–. (DLC No. 6 and 7, 1956; Nos. 9–11, 1957; Nos. 9–11, 1958.)

166. *Arbitrajul de stat* (Government Arbitration). Buc., 1955– (DLC)

167. *Gazeta juridică a Transilvaniei* (Legal Gazette of Transylvania). Brașov, 1945–?

168. *Justiția nouă* (New Justice). Bimonthly. Issued by the Association of Jurists of the R. P. R. Buc., 1945–(DLC 1953, 1954, 1956–)

A résumé of articles and table of contents in Russian and French.

169. *Legalitatea populară* (People's Legality). Monthly. Issued by

the Ministry of Justice, the Office of the Attorney General and the Supreme Court., 1955–1962. (DLC)

170. *Studii și cercetări juridice* (Studies and Legal Research). Semiannual. Issued by the Legal Institute of the Academy of the R. P. R. Buc., 1956–. (DLC)

A résumé of articles and table of contents in Russian and French.

B. Nonlegal Periodicals Containing Legal Writings or Legal Information

171. *Analele societății academice române* (Annals of the Romanian Academic Society). Buc., 1867–(?) (DLC)

172. *Arhiva* (Archive). Iași, 1892–?

173. *Arhiva istorică a României* (An Historical Archive of Romania). Buc., 1864–1867?.

174. *Arhiva pentru știința și reforma socială* (Archive of Science and Social Reforms). Buc., 1919– (?). (DLC)

175. *Arhiva societății științifice și literare* (Archive of the Science and Literary Society). Iassy, (?) [Before 1896].

176. *Columna lui Traian* (Trajan's Column). Buc., 1874–(?).

177. *Convorbiri literare* (Literary Writings).Yearly. Iassy; Buc., 1866–1939 (?). (DLC 1904, 1914, 1922–1927, 1939.)

178. *Poaie pentru minte* (Newspaper for the Mind). Brașov, 1842 (or before).

179. *Foișoara* (A Small Newspaper). Sibiu, 1858 (or before).

180. *Democrația* (Democracy). Buc. (?), XII, 1932–(?).

181. *Independența economică* (Economic Independence). Buc., 1940– (?).

A publication of the economists of the Academy of Advanced Commercial and Industrial Studies.

182. *Institutul de drept international public—Publicațiile* (Publications of the Institute of Public International Law). Iași, 1935–1936 (?).

183. *Institutul românesc de organizarea muncii—Publicațiile* (Publications of the Romanian Labor Organization Institute). Buc., 1927–1928 (?).

184. *Munca în sindicate* (Labor in Trade-Unions). Buc., 1957–
    (DLC 1958–1959.)

185. *Revista fundaţiilor regale* (Review of the Royal Foundations).
    N. I. Herescu, *joint editor.* Monthly. Buc., 1934–1944 (?). (DLC)

186. *Revista generală a învăţământului* (General Review of Edu-
    cation). Buc., 1927–?.

187. *Revista institutului social* (A Review of the Social Institute).
    Buc., 1933–?.

188. *Revista pentru istorie, arheologie şi filologie* (Review of His-
    tory, Archeology and Philology). Gr. G. Tocilescu, M. Gaster,
    P. Ispirescu, B. P. Haşdeu, M. Kogălniceanu, Al. Odobescu,
    V. A. Ureche, A. D. Xenopol, *editors.* Buc., 1882–1922?.

189. *Revista română* (Romanian Review). Buc., 1860–?.

190. *Revue de Transylvanie.* Issued by Astra, Literary and Scienti-
    fic Association and Transylvanian Association for Romanian Lit-
    erature and Culture of the Romanian People. Sibiu. Cluj, 1934–
    1938?. (DLC)

191. *România jună* (The Young Romania). Iaşi (?), 1900 (or be-
    fore)–1905?.

192. *Viaţa românească* (Romanian Life). Iaşi, 1909–1923 (?).

C.   Bibliographies

See also Nos.: 247; 949.3; 1195.1; 1197a.

193. Bianu, Ioan *and* Nerva Hodos. Bibliografia românească veche,
    1508–1830 (Old Romanian Bibliography, 1508–1830). Buc., 1903–
    1912. 3 v. (DLC)

194. Bibliografia R. P. R. (R. P. R. Bibliography). Buc., 1951–.
    (DLC)

195. Buletin trimestrial al publicaţiilor din România (Quarterly
    Bulletin of Publications in Romania). Buc., Institutul de Litera-
    tură şi Bibliografie din România, 1928. (DLC)

196. Catalogul general al bibliotecii din Freiburg im Breisgau
    (General Catalog of the Romanian Library in Freiburg im Breis-
    gau). Freiburg, 1950. 110 p. (DLC)

197. Greavu-Dunăre, S. Bibliografia Dobrogei, 425 a. Hr. – 1928 d. Hr. (Bibliography of Dobrudja, 425 B. C. to 1928 A. D.). Buc., 1928. 152 p. (DLC)

198. Newspapers and Periodicals from Romania. Buc., Cartimex, 1957. 72 p.; Supplement: 1957. 7 p.; 1958. 159 p. (DLC) Trilingual.

199. Păduraru, Octav. Anglo-Roumanian and Roumanian-English Bibliography. Buc., 1946. 244 p. (DLC)

200. Szladits, Charles. A Bibliography on Foreign and Comparative Law. Books and Articles in English. New York, 1955–1962. 2 v. (DLC)

201. Stat și drept (State and Law). *In* Anuarul cărții din R. P. R. 1952–1954 (Yearbook of the R. P. R. 1952–1954). Buc., 1957: 78–85. (DLC)

D.   Biographies

See also No.: 659.

202. Biographies of Leading Authorities in Romanian Law: (a) Alexandru Degré, by Alexandru Cerban, *Pandectele române* (Buc.), IV, 1946: 53–54; (DLC) (b) Basile Boerescu, by Radu Dimiu, *ibid.,* IV, 1946: 21–23; (DLC) (c) C. A. Bosianu, by Grigore Dumitrescu, *ibid.,* IV, 1947: 1–4; (DLC) (d) Mihail Kogălniceanu, by Mircea Georgescu, *ibid.,* IV, 1946: 65–68; (DLC) (e) Dimitrie Cantemir, by Ion V. Gruia, *ibid.,* IV, 1946: 77–79; (DLC) (f) Dimitrie Alexandresco, by I. Gr. Periețeanu and G. P. Docan, *ibid.,* IV ,1946: 1–7; (DLC) (g) Ioan Tanoviceanu, by I. Gr. Periețeanu, *Ibid.,* IV, 1947: 73–74; (DLC) (h) George G. Tocilescu, by Laurențiu Preoțescu, *ibid.,* IV, 1947: 21–23; (DLC) (i) Gheorghe Costaforu, by Const. Prodan, *ibid.,* IV, 1947: 13–16; (DLC) (j) Constantin Nacu, by Alex. Velescu, *ibid.,* IV, 1947: 85–87; (DLC) (k) Mircea Djuvara, pamphlets by: N. Bagdasar, Buc., 1940, 23 p.; Paul Georgescu, Buc., 1942, 29 p.; I. N. Lungulescu, Timișoara, 1942, 23 p.: V. Veniamin, *Pandectele române* (Buc.) IV, 1945: 57–60. (DLC)

203. Prodan, Constantin, Vasile Sturdza, Constantin Hurmuzaki, Scarlat Fălcoianu, Alexandru Crețescu, Constatin E. Schina.

1–5–lea Prim. Preşedinte al Curţii de Casaţie (1st to 5th President of the Supreme Court). *Dreptul* (Buc.), 1932: 21–24, 57–61, 109–111, 141–144, 197–198. (DLC)

204. Spulber, C. A., N. Corodeanu *and* Valentin Al. Georgescu. In memoriam S. G. Longinescu. Buc., 1943. 24 p.

204.1. Zotta, Sever. Andronache Donici (Biography). Iaşi, 1915.

7

BIBLIOGRAPHY OF LEGAL WRITINGS
IN THE ROMANIAN LANGUAGE

A. Comprehensive Topics

I. History of Law

See also, Chapters 2 and 3; and Nos.: 288a; 289; 293;
296; 321; 324; 333; 343; 529; 671; 784.1; 787.1; 891;
1288; 1300; 1311; 1317; 1327; 1328; 1337; 1341a; 1351;
1358; 1361; 1365–1367; 1373; 1377a; 1383a, f; 1396;
1411; 1417; 1419b, c; 1430; 1434; 1435a; 1466; 1467;
1470; 1479b.

(a) Up to 1945

205. Alexandresco, Grigore. Studiu asupra istoriei generale a
dreptului (A Study on the General History of Law). Focșani(?),
1901. ca. 300 p.; Focșani, 1905. 380 p.; 1906.
206. Alexianu, G. Instituția jurătorilor în vechiul nostru drept
(Testimonies by Witnesses in Our Old Law). Buc. (?), 1925. 40 p.
207. Arion, Dinu C. (a) Cnejii (Chinejii) români. Contribuții la
studiul lor (A Study of Romanian First Judges). Buc., 1938. 239
p.; (b) Curs de istoria dreptului românesc (Course in the History
of Romanian Law). Buc., 1938–1939. 984 p.; (c) Fundamentul
ideii de drept (The Basic Ideas of Law). *Revista fundațiilor
regale* (Buc.), Mai 1934.
208. Bălcescu, Nicolae. Drepturile românilor către Inalta Poartă
(Romanian Rights toward the Sublime Porte). *Foaie pentru
minte* (Brașov). 1848(?): 341 ff.

209. Berechet, Ştefan. (a) Câteva chestiuni din istoria vechiului drept românesc (A Few Questions Regarding the History of Old Romanian Law). Iaşi, 1931. 55 p.; (b) Dreptul bizantin şi influenţa lui asupra legislaţiei vechi româneşti (The Influence of Byzantine Law on Old Romanian Laws). Iaşi, 1931–1932. 88 p.; (c) Istoria vechiului drept românesc (The History of Old Romanian Law). Iaşi, 1933. 578 p.; (d) Procedura de judecată la slavi şi români (Judicial Procedure of Slavs and Romanians). Chişinău, 1926. 214; 123 p.; (e) Schiţă de istorie a legilor vechi româneşti (A Short History of Old Romanian Laws). Iaşi, 1928. 199 p.

210. Brezoianu, Ioan. Vechile instituţii româneşti (Old Romanian Institutions). Buc., 1882.

210.1. Catargiu, Barbu. Câte-va idei asupra proprietăţii în Principatele–Unite (Leading Ideas on Property in the United Principalities). Buc.(?), 1860.

211. Condurachi, Ion. Expunere rezumativă a teoriei moştenirilor în vechiul drept românesc (The Theory of Inheritance in Old Romanian Law). Buc., 1919. 84 p.

212. Dascovici, N. Regimul Dunării şi al strâmtorilor în ultimile două decenii (Legal Status of the Danube and the Gates in the Last Two Decades). Buc. (?), 1944 (?).

213. Dichter, Lupu. Ştiinţa dreptului sau naşterea şi desvoltarea istorică a Statului Român şi a institutelor sale de drept (Beginning and Historical Development of the Romanian State and Its Legal Institutions). Buc., 1896.

214. Dissescu, Const. G. Originele dreptului român (The Origin of Romanian Law). Buc., 1899. 67 p.

215. Drăghici, Manolache. Istoria Moldovei pe timp de 500 de ani (The History of Moldavia for the last 500 years). Iaşi, 1857.

215.1. Epureanu, Manolache Costache. Chestia locuitorilor privită din punctul de vedere al Regulamentului Organic (The Organic Act and the Population). Buc., 1866.

216. Erbiceanu, Const. (?). Manuscripte greceşti existente în Biblioteca Universităţii din Iaşi (Greek Manuscripts in the Library of the University of Jassy). *Revista teologică* (Iaşi), v. 3, 1886: 213–24.

217. Filliti, I. C. Domniile române sub Regulamentul Organic 1834–1848) (The Romanian Administrations under the Organic Act). Buc., 1915. 688 p. (DLC)

218. Filitti, I. C. *and* I. Suchianu. Contribuții la istoria justiției penale în Principatele Române (Contributions to the History of Criminal Justice in Romanian Principalities). Buc., 1928.

218.1. Flechtenmacher, Hristian. Istoria dreptului românesc sau a pravilelor românești (History of Romanian Law). This is a lecture given at the Vasilian School in Jassy on April 10, 1830 and published in 1891. *In* No. 52, v. 19: 476–490. (DLC)

219. Fotino, Georges. Incercări de vechi drept românesc (An Essay on Old Romanian Law). Craiova, 1925.

220. Golesco, A. G. (a) Istoricul protectoratului rusesc în Principate și al Regulamentului Organic (History of a Russian Protectorate in Principalities and *Regulamentul Organic*). Iași (?), first printing unknown; reprinted in 1848; (b) Pentruce este rău Regulamentul Țerii-Românești și al Moldovei? (Why the *Regumentul Organic* of Wallachia and Moldavia are Bad). Iași(?), first printing unknown, reprinted in 1848.

221. Hașdeu, Bogdan Petriceicu. (a) Mileniul cnezatului românesc (The Millennium of Romanian Community Elders Who Later Became Judges). *Analele Academiei* (Buc.), v. 18, 1895–96: Administrative Part, p. 402; (b) Obiceiurile juridice a[le] poporului român (Legal Customs of the Romanian People). Buc., 1878.

222. Giurescu, Constantin C. Organizarea financiară a Țării Românești în epoca lui Mircea cel Bătrân (The Financial Organization of Wallachia under Mircea the Old). Buc., 1927.

223. Ioanițescu, D. R. Istoricul legislației muncii în România (The History of Labor Legislation in Romania). Buc., 1919.

224. Ionescu, Stelian. Izvoarele istorice ale dreptului comercial român . . . (Historical Sources of Romanian Commercial Law . . .). Buc., 1943. 90 p.

225. Ionescu-Muscel, Petre. Istoria dreptului penal român (The History of Romanian Criminal Law). Buc., 1930. 210 p.

226. Iorga, N. (a) Documente și cercetări asupra istoriei financiare și economice a Principatelor Române (Documents and Researches on the Financial and Economic History of Romanian Principalities). Buc., 1902; (b) Istoria comerțului românesc (The History of Romanian Commerce). Buc., 1925.

227. Iorgulescu, Mihail. Istoria comerțului (The History of Commerce). Buc., 1926. 334 p.

228. Kogălniceanu, M. Desrobirea țiganilor, ștergerea privilegilor boerești; emanciparea țăranilor. Discurs la Academia Română 1/13 Aprilie 1891 (The Abolition of Serfdom of Gypsies, Abrogation of Privileges of Boyards and the Emancipation of Peasants. An Address Delivered at the Romanian Academy on April 1/13, 1891). Buc., 1891 (?).

229. Longinesco, S. G. (a) Istoria dreptului român (History of Romanian Law). Buc., 1908. 369 p.; (b) Legi vechi românești și isvoarele lor (Old Romanian Laws and Their Sources). Buc., 1909; 1912.

230. Lupaș, I. O lege votată în dieta transilvană din Cluj, 1848 (A Law Voted in the Parliament of Transylvania [Cluj]). Buc., 1943. 44 p.

231. Mateiu, I. Vechi instituții de drept privat la românii din Transilvania (Old Romanian Institutions of Private Law in Transylvania). Brașov, 1943.

232. Maxim, G. G. Obiceiurile juridice ale poporului român (Legal Customs of Romanian People). Iași, 1921.

233. Missail, C. Originile legiuirilor românești (The Origin of Romanian Laws). Buc., 1865. 118 p.

234. Mototolescu, D. Darurile dinaintea nunții în dreptul vechi românesc comparat cu cel romano-bizantin și slav (Gifts in Anticipation of a Marriage in Old Romanian Law, Roman, Byzantine and Slavic Law). Buc., 1921. 85 p.

235. Nadejde, Ion. (a) Din dreptul vechiu român (Old Romanian Law). Buc., 1898; (b) Originea dreptului consuetudinar român (The Origin of Romanian Customary Law). Buc., 1900; (c) Studii de istoria dreptului român (Studies in the History of Romanian Law). Buc., 1900. 218 (?) p.

236. Negoianu, Alfred. Insolvabilitatea în vechile legiuiri române (Insolvency in Old Romanian Law). Buc., 1931. 85 p.

237. Negulescu, Paul. (a) Cercetări asupra originei dreptului consuetudinar român (A Study on the Origin of Romanian Legal Customs). Revista de drept și sociologie (Buc.?), 1900: 28–29; (b) Curs de istoria dreptului român (A Course in the History of Romanian Law). Buc. (?), 1913. 964 p. (DLC); (c) Studii de istoria dreptului român (Studies on the History of Romanian Law). Buc., 1900. 228 p. (DLC)

238. Nicolaescu, Şt. Documente slavo-române, cu privire la relaţiile Ţării Româneşti şi Moldovei cu Ardealul în sec. XVI; privilegii comerciale, scrisori domneşti şi particulare din archivele Sibiului, Braşovului şi Bistriţei din Transilvania (Slavo-Romanian Documents on the Wallachia-Moldavia Relations with Transylvania in the XVI Century; Commercial Privileges, Letters of Princes and Private Persons Kept in the Archives of Sibiu, Braşov and Bistriţa (Transylvania). Buc., 1905. 367 p. (DLC)

239. Onişor, Victor. Istoria dreptului român (History of Romanian Law). 2nd ed. Cluj, 1925. 404 p.

240. Papadopol-Calimach, A. Din istoria legislaţiei Moldovei (The History of Moldavian Law). *Arhiva societăţii ştiinţifice şi literare* (Iassy), 1896: 148–169; 284–290.

241. Paşcanu, Mihail. (a) Instituţiuni de drept negustoresc în trecutul românesc (Institutions of Business Law in Old Romania). Buc. (?), 1908; (b) Origina veciniii (rumâniei) (The Origin of Serfdom in Romania). Buc., 1902.

242. Peretz, I. (a) Curs de dreptul bizantin (Course in Byzantine Law). Buc., 1910. 86 p.; (b) Curs de istoria dreptului (Course in the History of Law). 1915–24. 2 v.; Buc., 1926; 1928. 2 v.; (c) Hrisoave domneşti (Edicts of the Princes). Buc., 1928; (d) Monumentele vechiului drept român (Ancient Monuments of Romanian Law). Buc., 1928; (e) Precis de istoria dreptului (An Outline of the History of Law). Buc., 1931; (f) Predislovia metropolitului Ştefan la Pravila lui Matei Basarab (Bishop Stephen's Introduction to Matei Basarab's *Pravila*). Buc., (?), 1905.

243. Popovici, George. O scriere nouă asupra vechilor noastre aşezăminte (A New Study of Our Old Institutions). *Convorbiri literare* (Iaşi), v. 20, 1886–87: 662.

244. Rădulescu, A. (a) Alexandru Ioan Cuza, 1859–1866. Organizarea statului (Alexander Ioan Cuza and the State Organization). Buc., 1932. 118 p.; (b) Cercetări privitoare la înfiinţarea Curţii de Casaţie în România (Studies Regarding the Establishment of a Supreme Court in Romania). Buc., 1933. 50 p.; (c) Cultura juridică românească în ultimul secol (Legal Culture in Romania during the Last Century). Buc., 1923. 56 p.; (d) Doi pravilişti români: logofătul Nestor Craiovescu şi Andronache Donici (Two

Romanian Legal Writers: Nestor Craiovescu and Andronache Donici). Craiova, 1923.

245. Sărățeanu, Constantin D. Câteva cuvinte asupra vechilor instituțiuni, legi, proceduri și asupra personalului judecătoresc din Țara Românească înainte de regimul legilor de azi (A Few Words on Old Legal Institutions, Laws, Procedures and Justice Employees in Romania Before the Establishment of the Present Legal System). Buc., 1901. 47 p. (DLC)

246. Săvoiu, Emanoil Em. Contribuțiuni la studiul succesiunii testamentare în vechiul drept românesc (A Study of Inheritance in Old Romanian Law). Craiova, 1942. 188 p.

247. Sotropa, Valeriu. Introducere și bibliografie la istoria dreptului român (Introduction to, and Bibliography of, the History of Romanian Law). Cluj, 1937. 232 p.

248. Spulber, C. (a) Cea mai veche pravilă românească (The Oldest Romanian Rules). Cernăuți, 1930; (b) Curs de istoria dreptului românesc (A Course in the History of Romanian Law). Buc., 1941. 222 p.

249. Stoenescu, Dem. D. Instituția jurătorilor (Testimony by Witnesses). Craiova, 1921.

250. Xenopol, Alexandru. (a) Jurătorii la români (Witnesses in Romania).*Convorbiri literare* (Iași), v. 8, 1874–75: 137, 182, 214; (b)Justiția sub fanarioți (Justice under Fanariots). *Convobiri literare* (Iași), v. 20, 1886–87: 1058; (c) Primul proiect de Constituție a Moldovei, cel din 1822 (The First Draft of the Moldavian Constitution, 1822). *Analele Academiei Române* (Buc.), 1892. 61 p.; also in *Memoriile secțiunii istorice,* v. 20, 1897–98: 113 ff; (d) Țăranii sub Mihai Viteazul (Peasants under Prince Michael the Brave [1593–1601]).*Convorbiri literare* (Iași), v. 20, 1886–87: 695.

(b) After 1945

251. Adunarea izvoarelor vechiului drept românesc scris (A Collection of Sources of Old Romanian Law). Published by the Academy of the R. P. R. Buc., 1955–.

252. Cernea, Emil. Istoria statului și dreptului R. P. R. (A History of State and Law of the R. P. R.). Buc., 1956. 184 p.

253. Cronț, Gheorghe. Curs de istoria dreptului românesc (A Course in the History of Romanian Law). Buc., 1948. 371 p.

254. Firoiu, Dumitru. Istoria statului și dreptului R. P. R. (History of State and Law in the R. P. R.). Cluj, 1956. 2 v.; Buc., 1958. 2 v.

255. Gogeanu, Paul. Noțiuni elementare de istoria statului și dreptului 1640–1917, pentru uzul studenților dela facultatea de științe juridice anul I (Elementary Notions on the History of State and Law, 1640–1917). Buc., 1958. 327 p. (DLC)

256. Hanga, Vladimir. Istoria generală a statului și dreptului (A General History of State and Law). Cluj, 1955. 259 p.; Buc., 1958. 306 p. (DLC)

257. Inaltul Divan, 1831–1847 (Supreme Council, 1831–1847). Buc., 1958. 566 p. (DLC)

258. Maci, V. Caracterul legiuirilor agrare din România în deceniile VI–VII ale sec. XIX (The Character of Romanian Agrarian Laws Between 1860 and 1870). *Comunicări și articole de istorie,* Buc. (?), 1955: 59–79.

259. Pascu, Ștefan *and* V. Hanga. Crestomație pentru studiul istoriei statului și dreptului R. P. R. (A Collection of Material for the Study of the History of State and Law of the R. P. R.). Buc., 1955–. (DLC)

2. Constitutional Law

See also: Chapter 4, Section A; Special Topics: Aliens; Electoral Law; Local Government; Nationality; and Nos.: 53; 220b; 250c; 252; 254; 257; 259; 325; 327; 331–333; 335–337; 348; 350; 352; 357; 645; 646; 656; 671; 675; 678; 679; 682; 1223; 1230; 1231; 1238; 1242; 1244; 1263; 1280.1; 1284; 1289; 1329; 1331–1333; 1342b; 1354; 1360; 1383c, d; 1385; 1405; 1419d–f; 1424–1427; 1438; 1444; 1447d; 1448; 1454; 1477; 1490; 1508b-d; 1510; 1532; 1554d; 1555; 1557; 1558c; 1571; 1572; 1573; 1575; 1580–1581.

260. Constituțiunea și legea electorală împreună cu legea din 3 Maiu 1895, relativă la modificarea art. 89, 90, și 125 din legea electorală (The Constitution and the Election Law of May 3, 1895). Buc., 1901. 70 p. (DLC)

261. Constituția nouă (The New Constitution). Craiova, 1923 (?). 36 p. (DLC)

262. Constituția României din 1923, adnotată cu desbateri parlamentare și jurisprudențe (The Romanian Constitution of 1923 Annotated, with Parliamentary Debates and Court Decisions). Buc., 1925. 491 p.

263. Constituțiunea Regele Carol II (The Constitution of King Carol II). Buc., 1938. 31 p. (DLC)

264. Constituția Republicii Populare Române. Textul votat de Marea Adunare Națională în ședința din 13 Aprilie 1948 (The R. P. R. Constitution of 1948). Buc., 1948. 23 p. (DLC)

265. Alexandrescu, Traian. Funciunea juridică a votului prin referendum în legătură cu modificarea Constituției (Legal Aspect of a Referendum Amending the Constitution). Buc., 1938. 33 p. Reprint from *Curierul judiciar* (Buc.), No. 8, Feb. 27, 1938. (DLC)

266. Alexianu G. (a) Dreptul constituțional (Constitutional Law). Buc., 1926. 526 p.; (b) Curs de drept constituțional (Course in Constitutional Law). Buc., 1930–31. 2 v. (DLC); Buc., Cernăuți, 1931–1934. 3 v.

267. Angelescu, C. Izvoarele Constituției Române dela 1866 (The Origin of the Romanian Constitution of 1866). Buc., 1926.

268. Angelescu, Const. C. Noua organizare constituțională a Statului Român (The New Constitutional Organization of the Romanian State). Iași, 1942. 33 p.

269. Angelescu, C. C. Proiectul de constituție al lui Cuza Vodă dela 1863 (Prince Cuza's Draft of the Constitution of 1863). Buc., 1935. 46 p.

270. Apostol, Gh. Despre proiectul de constituție al R. P. R. (The R. P. R.'s Draft of the Constitution). Buc., 1952.

271. Argetoianu, C. Problema constituțională (The Constitutional Problem). Buc., 1923. 24 p.

272. Barițiu, George. Analiză asupra: "Studiu asupra constituției Românilor" de G. Meitani (Analysis of "A Study of the Romanian Constitution" by G. Meitani). *Transilvania* (Brașov (?), v. 12, 1881: 9–10.

273. Bellu, Petre. Zece ani de la proclamarea R. P. R. stat al oamenilor muncii de la sate și orașe (Ten Years Following the

Proclamation of the R. P. R. The State of Working People in Rural and Urban Communities). *Analele universității "C. I. Parhon"* (Buc.), No. 11, 1958: 9–21.

274. Basilescu, Nicolae. (a) Art. 7, par. 5 din Constituție. Memoriu (Sec. 7, par. 5 of the Constitution). Buc., 1902. 64 p.; (b) Contribuțiuni la înțelegerea Art. 7, par. 5 din Constituțiune (A Study of Art. 7, par. 5 of the Constitution). Buc., 1897. 186 p. (DLC)

275. Boilă, Romul. (a) Anteproiect de constituție pentru Statul Român (Draft of the Constitution of the Romanian State). Cluj, 1921. 60 p.; (b) Consiliul Dirigent (Council to Determine Laws in Force in Transylvania, Banat, Crisana, and Maramures). *In* Transilvania, Banatul, Crișana, și Maramureșul (Buc.), 1929: 89–100; (c) Organizația de Stat. Considerațiuni teoretice. Organizația Statului Român în comparație cu organizația altor state (The Organization of the Romanian State and Other States). Cluj, 1927. 677 p.; (d) Statul (The State). Cluj, 1939. 246 p.

276. Botez, Demostene. Responsabilitatea miniștrilor. Studiu constituțional și juridic (Responsibilities of Members of the Government). Iași, 1918. 35 p.

277. Botolian, A. D. Câteva cuvinte asupra organizării puterii legiuitoare în raport cu principiile separațiunii puterilor (The Legislative Branch and the Principle of Separation of Powers). Craiova, 1885. 30 p.

277.1. Brailoiu, Const. Nic. Revizuirea Constituțiunei (The Revision of the Constitution). Buc., 1879. 30 p.

278. Brătianu, Gr. T. Încercări asupra art. 129 din Constituție relativ la revizuire (Sec. 129 of the Constitution and the Revision). Buc., 1883. 69 p.

279. Ciocazan, D. M. Regimul representativ (The Representative System of Government). Craiova, 1897. 221 p.

280. Consiliul legislativ. Zece ani de activitate (1926–1936) (The Legislative Council. Ten Years of Activity). Buc., 1936. 461 p. (DLC)

281. Cristescu, George. Problema reformei statului democrat (Reformation of the Democratic State). Cernăuți, 1938.

282. Deșliu, Ioan. Proect de remanierea Constituției Române și a legei electorale cu rezolvirea cestiunei israilite și modul de ad-

ministrare a Dobrogei (Draft of Amendments of the Romanian Constitution and the Electoral Law and Problem of Jews and the Administration in Dobrudja). Buc., 1879. 52 p.

283. Dissescu, Constantin G. Dreptul constituţional. Istoria dreptului public. Dreptul public comparat. Teoria generală a statului. Dreptul constituţional al României (Constitutional Law. History of Public Iaw. Comparative Public Law. Theory of State. Constitutional Law of Romania). 3d ed. Buc., 1915. (DLC)

283.1. Drăgan, Tudor. Curs de drept de stat al R. P. R. (Course in Constitutional Law of the R.. P. R.). Iaşi, 1956. 595 p.; 1958.

284. Dragomir, I. Constituţia R. P. R. Constituţia construirii socialismului (Constitution of the R. P. R., the Constitution of Socialism). *Justiţia nouă* (Buc.), 1956: 909–930. (DLC)

284.1. Eraclide, Constantin. Despre elementul monarhic în sistemul representativ (Monarchy under a Representative System). Buc., 1860.

285. Feller, S. Noua Constituţie a R. P. R. (The New Constitution of the Romanian People's Republic). *Justiţia nouă* (Buc.), 1953: 43–78. (DLC)

286. Filitti, I. C. (a) Cum a fost înţeles Consiliul Legislativ (How the Legislative Council Was Understood). Buc., 1929. 24 p.; (b) Originea şi menirea Consiliului (Origin and Destiny of the Legislative Council). Buc., 1927. 22 p.; (c) Isvoarele Constituţiei dela 1866 (Origin of the Constitution of 1866). Buc., 1934. 72 p.; (d) Un proiect inedit de constituţie al lui Cuza Vodă din 1863 (Unpublished Draft of the Constitution of 1863), Buc., 1934 (?).

287. Gabrielescu, V. M. Consiliul Legislativ permanent (The Permanent Legislative Council). Craiova, 1920.

288. Gheorghiu-Dej, Gh. (a) Raportul proectului de constituţie făcut în şedinţa Marii Adunări Naţionale din 9 Aprilie 1948 (Report on the Draft of the Constitution, Addressed to the National Assembly of April 9, 1948). Buc., 1948. 81 p.; (b) Raport asupra proectului de constituţie a R. P. R. (Report on the Draft of the Constitution of the R. P. R.). Buc., 1952. 140 p.

289. Gorovei, A. Primul proect de constituţie elaborat de Comisiunea Centrală din 1859 (First Draft of the Constitution by the Central Committee in 1859). Fălticeni, 1914.

290. Hamangiu, C., *editor*. Din opera legislativă a Ministerului de Justiție (Excerpt from a Legislative Work of the Ministry of Justice). Buc., 1932. ca. 600 p.

291. Hodosiu, Iosif. Românii și constituțiile Transilvaniei (Romanians and the Constitutions of Transylvania). Pesta, 1871.

292. Independența constituțională a Transilvaniei (The Constitutional Independence of Transylvania). Iași, 1861. 81 p. (DLC)

293. Ionașcu, Aureliu. Semnificația juridică a hotărârilor Adunării Naționale de pe Câmpia Libertății de la 15 și 16 Mai 1848 (Legal Significance of the Decision of the National Assembly Held on the Liberty Field on May 15 and 16, 1848). *Pandectele române* (Buc.), pt. IV, 1944; 41–45.

294. Ionescu, Dionisie, *joint author*. Desvoltarea constituțională a Statului Român (The Constitutional Development of the Romanian State). Buc., 1957. 597 p. (DLC)

295. Ionescu, Stelian. Regimul constituțional în România după 23 Aug. 1944 (The Constitutional System of Romania after Aug. 23, 1944). Buc., 1956. 23 p.

296. Istrate, Nicolae. Despre Puterea Legislativă (Legislative Powers). Iași, 1856. 2 parts.

297. Iuliu, George. Excepțiunea de neconstituționalitate a legilor (Challenge of the Constitutionality of Laws). *Pandectele române* (Buc.), pt. 4, 1932: 173–182. (DLC)

298. Ivănceanu, Șerban. Orientări în dreptul constituțional român (Orientation in Romanian Constitutional Law). Buc., 1943.

299. Kogălniceanu, M. (a) Discursuri parlamentare din epoca Unirii, 22 Sept., 1857–14 Dec. 1861 (Parliamentary Speeches, 1857–1861). Buc., 1959. 422 p. (DLC); (b) *editor*. Proiectu de constituțiunea Principateloru-Unite Moldavia și Țerra Românească, elaboratu de Commissiunea Centrală și protocólele Comissiunei Centrale atingătóre de constituțiune (Proposed Constitution for the United Principalities of Moldavia and Wallachia). Iași, 1861. (DLC)

300. Korné, Mihail. Violarea Art. 25 din Constituție (Violation of Art. 25 of the Constitution). Buc., 1895.

301. Laday, Stefan. Problema unificării legislative (The Problem of Unification of Legislation). *Curierul judiciar* (Buc.), No. 6, 1928: 81–84. (DLC)

302. Lascarov-Moldovanu, A. *and* Sergiu D. Ionescu. Constituția Română din 1923 (Romanian Constitution of 1923, Annotated). Buc., 1925. ca. 600 p.

303. Laurian, Dimitrie A. (a) Manual de drept constituțional și administrativ pentru clasa VIII (Manual on Constitutional and Administrative Law for Secondary Schools). Buc., 1902; (b) Dreptul constituțional (Constitutional Law). Buc., 1904 (?).

304. Meitani, G. G. (a) Studiile asupra Constituției Românilor (Studies on the Romanian Constitution). Buc., 1881–1887; (b) Studii constituționale (Constitutional Studies). Buc., 1878. 213 p. (DLC)

304.1. Merelscu, I. V. Centralismul democratic, principiu fundamental în organizarea și funcționarea organelor puterii și administrației de stat în R. P. R. (The Democratic Centralism, Fundamental Principle in Organization and Functioning of Agencies of Government and State Administration in the R. P. R.). *In* No. 681: 77–96.

305. Mihuleju, Emanuel Gr. Principiul separațiunilor puterilor (The Principle of the Separation of Powers). Buc., 1892. 93 p.

306. Negulescu, Paul. (a) Actele de suveranitate (Acts of Sovereignty). *Revista de drept public* (Buc.), 1926: 35–47. (DLC); (b) Constituția României (The Romanian Constitution). *In* No. 640.1., v. 1, 1938: 171–200. (DLC); (c) Curs de drept constituțional (Course in Constitutional Law). Buc., 1927. 576 p. (DLC); (d) Principiile fundamentale ale Constituției din 27 Feb. [1938] (Principles of the Constitution of Feb. 28 [1938]). Buc., 1939. 250 p.

307. Niciu, Marțian *and* Teodor Tanco. Manual de constituție pentru clasa a VII-a (Manual on the Constitution for Secondary Schools). Buc., 1957. 176 p.

308. Nicolescu, George D. Parlamentul Român, 1866–1901 (Romanian Parliament, 1866–1901). Buc., 1903. 516 p. (DLC)

309. Pașcanu, Mihail. Constituționalitatea stărei de asediu (Constitutionality of the State of Siege). Iași (?), 1920.

310. Pencovici, Al., *editor*. Desbaterile Adunării Constituante din 1866 (Debates of the Constituent Assembly of 1866). Buc., 1883.

311. Petrescu, G. A. Constituționalitatea jurisdicțiunilor adminis-

trative (Constitutionality of Administrative Jurisdictions). *Revista de drept public* (Buc.), 1934: 40–46. (DLC)

312. Pordea, A. G. Comparaţie între vechea (1923) şi noua Constituţie (1938) (Comparison Between the Old (1923) and the New Constitution (1938)). Cluj, 1938.

313. Poulopol, E. A. Rolul şi limitele tehnicei legislative şi Consiliul Legislativ. Elemente pentru o teorie a legilor nedrepte (Purpose and Limits of the Legislative Apparatus and the Legislative Council). Buc., 1931.

314. Prişcă, N. *and* A. Carsian. Marea Adunare Naţională şi Prezidiul Marii Adunări Naţionale (The Great National Assembly and Its Presidium). Buc., 1959. 123 p.

315. Proclamaţiunea, ordonanţele . . . de la 2 Maiu 1864 (Proclamation, Ordinances . . . of May 2, 1864). Buc., 1862. Printed in Romanian Cyrillic. (DLC)

316. Racoviceanu, Gr. Constituţia Română, adnotată (The Romanian Constitution Annotated). Buc., 1935.

317. Rădulescu Motru, Const. Reforma electorală (Electoral Reform). Buc., 1914.

318. Revizuirea Constituţiei (Amendments to the Constitution). Proectul B. Boerescu (Draft of B. Boerescu). Buc., 1883. 62 p.; Proectul Nicolae Pleva şi Polizu Micşuneşti (Draft of Nicolae Pleva and Polizu Micşuneşti). Buc., 1883. 29 p.; Proectul comitetului delegaţiilor Senatului şi raportul relativ (Draft of the Senate Committee and Its Report). Buc., 1884. 32 p.

319. Stambulescu, Ion N. Principii de drept constituţional (Principles of Constitutional Law). Buc., 1924. 214 p.

319.1. Sterea, C. G. Introducerea la studiul dreptului constituţional (A Study of Constitutional Law). Iaşi, 1903. 247 p.

320. Strat, George. Evoluţia dreptului de asociaţiune în România (Evolution of the Right of Association in Romania). Buc., 1930.

321. Sturdza, Dimitrie A. (a) Insemnătatea Divanurilor Ad-Hoc (Importance of the Ad-Hoc National Assembly). Buc., 1911–1912. 3 v.; (b) Puterea Executivă şi Constituţia României (Executive Power and the Romanian Constitution). Buc., 1906.

322. Toma, I. Stelian. Dreptul constituţional de după cel de-al doilea război mondial (Constitutional Law After World War II). Buc., 1948. 112 p.

323. Vârgolici, Cezar. Elaborarea legilor și Consiliul Legislativ (The Drafting of Laws and the Legislative Council). Buc., 1938. 220 p.

324. Vasiliu, C. Controlul constituționalității legilor (Control of the Constitutionality of Laws). Buc., 1929.

3. Administrative Law

See also the Special Topics: Administrative Courts and Procedure; Eminent Domain; Local Government; Police; Public Health; Water Rights; and Nos.: 303a; 311; 960; 1354; 1362; 1368; 1394; 1474a; 1489; 1500; 1552; 1582.

325. Alexianu, G. Studii de drept public (Studies on Public Law). Buc. (?), 1930.

326. Anghene, Mircea. Elemente de drept administrativ (Elements of Administrative Law). Buc., 1958. 221 p. (DLC)

327. Athanasiad, Ioan B. Dreptul public (Public Law). Buc., 1894.

328. Bărnuțiu, Simeone. Dreptulu publicu alu româniloru (Romanian Public Law). Iași, 1867. 472 p. (DLC)

329. Benișache, Virgil R. C. Drept administrativ (Administrative Law). Galați, 1903.

330. Costaforu, Gh. Despre aristocrație și oare-cari principii de dreptu publicu (Aristocracy and Some Principles of Public Law). Buc., 1855.

331. Costi, George. Situația particularilor în dreptul administrativ cari satisfac un interes general (Status of Private Citizens in Administrative Law Whenever They Serve the General Interest). Buc., 1942. 56 p.

332. Dissescu, C. G. Curs de drept public român (Course in Romanian Public Law). Buc., 1890. 2 v.; 1910; 3d ed. 1915.

333. Dissescu, C. G. and M. A. Dumitrescu. Istoria și principiile dreptului public român. Dreptul constituțional (History and Principles of Romanian Public Law. Constitutional Law). Buc., 1903. 399 p. (DLC)

333.1. Drăganu, Tudor. Actele de drept administrativ (Administrative Acts). Buc., 1959. 299 p.

334. Filitti, I. C. and I. G. Vântu. Administrația locală în România

(Local Administration in Romania). *In* No. 640.1, v. 1, 1938: 296–310. (DLC)

335. Filitti, I. C. *and* I. V. Gruia. Administraţia centrală a Romăniei (Central Administration in Romania). *In* No. 640.1, v. I, 1938: 237–295. (DLC)

336. Georgescu, Valentin A. Criza dreptului public (Crisis of Public Law). Cernăuţi, 1934.

337. Ghica, I. G. Dreptul public romăn (Romanian Public Law). Buc., 1897.

338. Gliga, Ioan. Drept administrativ al R. P. R. (Administrative Law in the R. P. R.). Cluj, 1957. 300 p.

339. Gliga, Ioan *and* Mircea Stoica. Drept administrativ al R. P. R. (Administrative Law in the R. P. R.). Stalin [Braşov], 1958. 387 p. (DLC)

340. Gruia, Ion V. Curs de drept administrativ (Course in Administrative Law). Buc., 1930 (?).

341. Ionescu, Remus G. P. Concesiunea de serviciu public, studiu juridic (Concession of Public Utilities, a Legal Study). Preface by Const. G. Rarincescu. Buc., 1936. 181 p.

342. Legea pentru comunele urbane şi rurale a Principatelor-Unite-Romăne (Law on Local Governments of the United Principalities of Romania). Buc., 1874. (DLC)

343. Lege pentru contribuţiuni personale şi Convenţiune pentru organizarea definitivă a Principateloru-Unite-Romăne (Personal Income Tax Law and Agreement [of Paris] on the Organization of the United Romanian Principalities). Buc., 1864. Printed in Romanian Cyrillic. (DLC)

344. Legile şi decretele organice de resortul justiţiei (Laws and Decrees Regarding the Ministry of Justice). Buc., 1899. 190 p. (DLC)

345. Lesviodax, Alexandru. Ordinea publică legală (Public Legal Order). Buc., 1943. 97 p.

346. Negulescu, Paul. (a) Codul administrativ, adnotat (Administrative Code Annotated). Buc., 1940; (b) Tratat de drept administrativ romăn (Treatise on Romanian Administrative Law). Buc., 1903–1904. 349 p. (DLC); 2d ed., 1906; 3d ed. 1925. 595 p. (DLC); 4th ed. 1933–1934. 631 p.

347. Negulescu, Paul, R. Boilă *and* G. Alexianu. Codul administra-

tiv, adnotat (Administrative Code Annotated). Buc., 1910. 900 p.
348. Neuman, Emanuel. Limitile puterii statului (Limits of State Power). Buc., 1937.
349. Onişor, Victor. Tratat de drept administrativ român (Treatise on Romanian Administrative Law). Cluj, 1923. 784 p. (DLC); 2d ed. Buc., 1930.
350. Prişcă, N. and A. Carsian. Organele supreme ale puterii de stat în R. P. R. (Supreme Agencies of Government Power in the R. P. R.). Buc., 1956, 68 p.
351. Silvian, Alexandru. Regulamentul administrativ (Administrative Regulations). Buc., 1936. 211 p.
352. Statutul naţionalităţilor (Status of Nationalities). Buc., 1946. 72 p.
353. Strihan, Petre. Idei şi realizări în administraţia românească (Ideas and Realizations in the Romanian Administration). Pandectele române (Buc.), pt. IV, 1945: 8 ff. (DLC)
354. Tarangul, Erast. D. (a) Actele administrative de autoritate şi cele de gestiune (Administrative and Financial Acts of the Government). Sibiu, 1945. 34 p.; (b) Tratat de drept administrativ român (Treatise on Romanian Administrative Law). Cernăuţi, 1944. 686 p.
355. Teodorescu, Anibal. (a) Noţiuni de drept administrativ (Concepts of Administrative Law). Buc., 1915. 238 p.; (b) Tratat de drept administrativ (Treatise on Administrative Law). Buc., 1930 (?).
356. Titulescu, Nicolae. Problema responsabilităţei juridice a statului şi a comunelor (Legal Responsibility of Central and Local Government). Buc., 1907.
357. Văraru, Marin. (a) Noţiunea interesului în dreptul public (The Concept of Interest in Public Law). Revista de drept public (Buc.), 1926: 470–484. (DLC); (b) Studiul forţei publice (A Study on Public Force). Buc. (?), 1922. 300 p.; (c) Manual de drept administrativ (Manual of Administrative Law). Chişinău, 1926. 457 p.; (d) Tratat de drept administrativ român (Treatise on Romanian Administrative Law). Buc., 1928. 703 p. (DLC)
358. Vermeulen, Jean H. (a) Dreptul administrativ jurisprudenţial român (Administrative Law Derived from Court Decisions). Buc., 1931. 2 v.; (b) Evoluţia dreptului administrativ român (The

Evolution of Romanian Administrative Law). Buc., 1943. 280 p.

359. Vernescu, Radu. Ordinea publică în dreptul privat (Public Interest in Private Law). Buc., 1936.

4. Civil Law

See also the Special Topics: Contracts and Torts; Cooperatives; Copyright, Patent Law, Trade Marks; Domestic Relations; Government Contracts; Inheritance; Mortgages; Property; Revalorization; and Nos.: 632; 641; 1323; 1345a; 1352; 1353; 1404; 1433b; 1442; 1461; 1485; 1494; 1518c; 1558a; 1565; 1576.

360. Codul Civil Carol al II-lea (Civil Code of King Carol II). Buc., 1939. 583 p. (DLC)

361. Codul Civil. Text oficial cu modificările până la data de 15 Julie 1958 (Civil Code. Official Text with All Amendments Up to July 15, 1958). Buc. 1958. 510 p. (DLC)

362. Alexandresco, Dimitrie. (a) Explicațiunea teoretică și practică a dreptului civil român în comparațiune cu legile vechi și cu principalele legislațiuni străine (Theoretical and Practical Explanations of Romanian Civil Law in Comparison with the Old Laws and with Important Foreign Legislation). 1st ed., v. 1, Iassy, 1886; v. 1–11, Buc.; v. 2, 1888; v. 3, 1889; v. 4, 1892; v. 5, 1892; v. 6, 1899; v. 7, 1903; v. 8, 1904; v. 9, 1909; v. 10, 1911; v. 11, 1915; 2d ed. 1906–1926; 3d ed. 1926. (DLC, 11 v. in 1st and 2d ed.); (b) Comentăriile de drept civil (Commentaries on Civil Law). Buc., 1907–1915. 16 v.; (c) Principiile dreptului civil (Principles of Civil Law). Buc., 1926. 4 v. (DLC)

363. Alexandrescu, O. *and* O. Pienescu. Codul civil român din 4 Decembrie 1864 cu toate modificările ulterioare adnotat cu jurisprudența Curții de Casație, 1920–1938 (Romanian Civil Code of December 4, 1864 with All Amendments, Annotated, with Decisions of the Supreme Court, 1920–1938). Buc., 1938. 441 p.

364. Anca, Petre. Dreptul de închiriere al organizațiilor socialiste cu privire la clădirile aflate în folosința lor (Right to Rent Realty under the Management of Social Organizations). *Legalitatea populară* (Buc.), v. 4, No. 12, 1958: 17–24. (DLC)

365. Angelescu, Alexandru C. Despre nume (Names). *Pandectele române* (Buc.), pt. IV, 1937: 57–80. (DLC)

366. Antonescu, Em. N. Nevaliditatea actelor juridice în dreptul civil (Materia nulității ilor) (Nullity of Transactions in Civil Law). Buc., 1927. 360 p.

367. Bălănescu-Rosetti, I., Ovid Sachelarie *and* Nic. G. Nedelcu. Principiile dreptului civil român (Principles of Romanian Civil Law). 2d ed. Buc., 1947. 800 p. (DLC)

368. Besteley, Michail A. Formularul general și esplicațiunea practică a codului civil (Forms and Practical Explanations of the Civil Code). Buc. (?), 1884–1887. 2 v.

369. Bonachi-Gregoriady, Al. Codul civil român (The Romanian Civil Code). Buc. (?), 1889. 3 v.

370. Botez, Corneliu. Contribuție la reforma codului civil (Contributions to the Reform of the Civil Code). Craiova, 1921.

371. Broșteanu, Traian D. Arbitrajul și relativitatea formulelor doctrinale cu privie la aplicarea legilor în timp (Arbitration and the Principle of the Retroactivity of Laws). Buc., 1932. 244 p.

372. Cădere, V. Curs de drept civil (Course in Civil Law). Oradea, 1926–1927.

373. Cantacuzino, Matei B. (a) Curs de drept civil (Course in Civil Law). 2nd ed., Craiova, n.d. 768 p. (DLC); (b) Elementele dreptului civil (Elements of Civil Law). Buc., 1921. 762 p. (DLC)

374. Christescu, C., *editor.* Codicele civil, adnotat (Civil Code, Annotated). Buc., 1894.

374.1. Corjescu, Ioan, *editor.* Codul civil austriac cuprinzând textul oficial, legile, novellele și ordonanțele publicate pentru complectarea și modificarea acestuia . . . aplicabile în Bucovina și unele în Transilvania (Austrian Civil Law Applicable in Bukovina and Transylvania). Buc., 1921. 644 p. (DLC)

374.2. Deak, Fr. Curs de drept civil. Dreptul obligațiilor. Partea I-a. Teoria Generală a obligațiilor (Course on Civil Law. Contracts. Part I. General Theory of Contracts). Buc., 1960. 525 p.

375. Docan, George P. (a) Revizuirea noului cod civil Carol al II-lea (Revision of the New Civil Code of King Carol II). *Pandectele române* (Buc.), pt. IV, 1940: 97–108. (DLC); (b) Studii de drept civil comparat. Legislația ungară și austriacă din Transilvania in comparație cu legeslația română (Comparative Study

on the Civil Code of Hungary and Austria as in Force in Transylvania and Romania). Buc., 1926. ca. 500 p.

376. Dragoş, Titu. Principii de drept civil (Principles of Civil Law). Buc., 1939 (?). 186 p.

377. Dumitrescu, M. A. (a) Manual de drept civil (Manual of Civil Law). Buc., 1921–29. 6 v. (DLC); (b) *editor*. Textul codului civil, cu modificările din 15 Martie 1906 (Civil Code with Amendments of March 15, 1906). Buc., 1907.

378. Eminescu, Yolanda. Rolul dreptului civil în îmbunătăţirea calităţii produselor (Role of Civil Law in Better Production). Buc., 1957. 121 p. (DLC)

379. Eraclide, Constantinu. Esplicaţiune theoretică şi practică a codului civilu (Theoretical and Practical Comments on the Civil Code). Buc., 1873. 3 v. (DLC)

380. Eliescu, Mihail. Curatelele instituite unor persoane lipsite de capacitate sau cu capacitatea restrânsă (Appointment of Guardians for Persons without Legal Capacity or with Limited Legal Capacity). *Legalitatea populară* (Buc.), No. 7, 1957: 792–806. (DLC)

381. Facultatea de drept din Cluj. 75 de ani de cod civil (75 Years of the Civil Code). *Analele facultăţii de drept din Cluj* (Sibiu), 1940–1942. 522 p.

381.1. Fekete, Gheorghe. Curs de drept civil (Course in Civil Law). Buc., 1960.

382. Fratoştiţeanu, G. N. Codul civil adnotat (Civil Code, Annotated). Buc., 1895. 2 v.; 1905. 1300 p.

383. Georgean, N. Studii juridice. Studii de drept civil, procedura civilă, drept penal, procedura penală şi drept comercial (Legal Studies in Civil Law, Civil Procedure, Criminal Law, Criminal Procedure, and Commercial Law). Buc., 1926–30. 3 v. (DLC 2 v.)

383.1. Ghimpu, Sanda *and* Sigismund Grossu. Capacitatea şi reprezentarea persoanelor fizice în dreptul R. P. R. (Capacity and Representation of Persons under the Law of the R. P. R.). Buc., 1960. 367 p.

384. Hamangiu, Constantin. (a) Codul civil român adnotat (Romanian Civil Code, Annotated). Buc., 1897. 600 p.; (b) Codul civil adnotat cu textul art. corespunzător francez, italian şi belgian, cu trimiteri la doctrina franceză şi română şi jurisprudenţa com-

plectă dela 1868–1927 (Civil Code Annotated with Pertinent Sections of the French, Italian, and Belgian Codes and French and Romanian Jurisprudential Writings, and Romanian Court Decisions from 1868–1927). Buc., 1925–34. 9 v. (DLC)

385. Hamangiu, Constantin, I. Rosetti Bălănescu *and* Al. Băicoianu. Tratat de drept civil român (Treatise on Civil Law). Buc., 1928–29. 3 v. (DLC)

386. Ilia, Filimonu. Cursulu de dreptu civile (Course in Civil Law). Buc., 1874.

387. Iliescu, Anton *and* Rudolf Busch. Tablou comparativ intre codul civil bucovinean şi codul civil român (Comparative Study of the Civil Codes of Bukovina and Romania). Cernăuţi, 1938. 30 p. (DLC)

388. Ionaşcu, Aurelian. (a) Curs de drept civil (Course in Civil Law). 2nd ed. Cluj, 1957. 223 p.; (b) Inegalitatea sexelor în dreptul român (Inequality of Sexes in Romanian Law). Cluj (?), 1936. 20 p.

389. Ionaşcu, Traian R. (a) Dreptul civil român. Note de curs (Romanian Civil Law. Students' Notes). Iaşi (?), 1927–1932. 5 v.; (b) Drept civil. Partea 2-a (Civil Law. 2nd Part). Buc., 1955. 80 p.; (c) Drept civil. Curs unic pentru facultatea de ştiinţe jurdice (Civil Law. A Law School Course). Buc., 1957. 208 p.; (d) Particularităţile dreptului civil român, faţă de cel francez, în materie de liberalităţi (Differences in the Field of Gratuities Between Romanian and French Civil Law). *Pandectele române* (Buc.), pt. IV, 1935: 129–140. (DLC)

390. Ionescu, Constant. (a) Introducere în dreptul civil comparat. Studiu de technică juridică (Introduction to Comparative Civil Law). Buc., 1926. ca. 200 p.; (b) Technica şi genetica dreptului civil comparat (Comparative Civil Law). Buc. (?), 1931. 310 p.

391. Ionescu, George, *editor*. Adnotaţiuni la codul civil (Annotations to the Civil Code). Buc., 1908.

392. Ionescu, Salviu. Metoda dreptului pozitiv (Method in the Law in Force). Buc., 1945. 38 p.

393. Iroaie, Aurel. Prezumţiile de responsabilitate (Presumption of Responsibility). Suceava, 1947. 30 p.

394. Laday, Ştefan. Codul civil austriac, în vigoare în Ardeal, completat cu legile şi regulamentele modificatoare cuprinzând şi

jurisprudența (The Austrian Civil Code in Force in Transyl-
vania, Its Amendments and Court Decisions). Cluj, 1924. 809 p.
(DLC)

395. Laurian, D. A. Dreptul civil (Civil Law). Buc., 1904 (?).

396. Legislația civilă uzuală (Civil Legislation). Buc., Ministry of
Justice, 1956. 2 v. (DLC)

397. Mârzescu, George. Esplicațiuni asupra codicelui civil (Com-
ments on the Civil Code). Buc. (?), 1882.

398. Mototolesco, D. D. Privilegiul masculinității (Privileges of the
Male Sex). Buc., 1915. ca. 193 p.

399. Nacu, C. (a) Comentariulu dreptului civilu (Comments on
the Civil Law). Buc., 1874; (b) Comparațiune între codul civil
român și codul Napoléon. Partea I (Comparison Between the Ro-
manian Civil Code and the Code Napoléon. Part I). Buc., 1901.
146 p. (DLC); (c) Dreptul civil român (Romanian Civil Law).
Buc., 1901–1903. 3 v. (DLC v. 2 and 3); 1929. 8 v.; (d) Explica-
țiunea titlului preliminar al codului civil (Explanation of the
Preliminary Chapter of the Civil Code). Buc., 1901. 95 p.; (e)
Principii elementare de dreptulu privatu românu, predate la
școala de administrațiune din București (Elementary Principles
of Romanian Civil Law; Lectures Given at the School of Admin-
istration in Bucharest). Buc., 1873. 2 v. (DLC)

400. Neagu, Dim. Codicele civil, adnotat și comentat (Art. 1–516)
(Civil Code Arts. 1–516, Annotated). Buc., 1905–1907. 2 v.

401. Nedelcu, George D., *editor.* Textul autentic al codului civil
român (Romanian Civil Code). Buc., 1905.

402. Nedelschi, Gh. Curs de drept civil (Course in Civil Law).
Buc., 1955. 712 p.

403. Negrea, Camil. Curs de drept civil din Ardeal și Banat (Course
in Civil Law of Transylvania and Banat). Cluj, 1923. 3 v.

404. Negru, V. Curs de drept civil. Partea generală, persoane și
bunuri (Course in Civil Law. General Part. Persons and Prop-
erty). 3d ed. Buc., 1956. 406 p. (DLC); 4th ed. Iași, 1958. 394 p.
(DLC)

405. Niculescu, Demetru I. Competența civilă și comercială. Studiu
comparat (Civil and Commercial Jurisdictions. A Compartive
Study). Oradea (?), 1936. 642 p.

406. Plastara, George. Curs de drept civil român (Course in Romanian Civil Law). Buc., 1924 (?). 10 v. (DLC)

407. Phillippescu-Dubău, Eugeniu. Esplicațiunea codicelui civile românu (Comments on the Romanian Civil Code). Focșani (?), 1873.

408. Popescu, C. V. Condiția juridică a femeii (Legal Status of Women). Buc., 1899.

409. Popescu, Tudor R. Fundațiunea în dreptul comparat cu specială privire în dreptul românesc (Foundations in Comparative Law with Special Regard to Romanian Law). Iași, 1938. 231 p.

410. Rădulescu, Andrei. (a) Codul nostru civil în anii: 1925–1945 (Our Civil Code During the Years 1925–1945). Buc., 1946. 32 p.; (b) Influența franceză asupra dreptului roman până la 1864 (French Influence in Romanian Law Up to 1864). Buc., 1946. 26 p.; (c) Isvoarele dreptului civil și comercial român și tendințe românesci spre dreptul italian (Sources of Civil and Commercial Law and Romanian Inclination towards Italian Law). Buc., 1932; (d) 60 de ani de cod civil (60 Years of Civil Law). Buc., 1927; (e) Studii de drept civil (Studies in Civil Law). Buc., 1915. 272 p.

411. Rădulescu, Andrei and I. Rosetti-Bălănescu. Legislația civilă (Civil Legislation). In No. 640.1., v. 1, 1938: 369–396. (DLC)

411.1. Rarincescu, Mihai. Curs de drept civil (A Course on Civil Law). Buc., 1930.

412. Rosetti-Bălănescu, Ioan and Al. Baicoianu. Drept civil român (Romanian Civil Law). Buc., 1943. 2 v. (?) (DLC)

413. Sachelarie, Ovid. (a) Codul civil coordonat cu toate textele modificatoare (Civil Code with All Amendments). Buc., 1947. 334 p.; (b) Controverse din dreptul civil (Controversies in Civil Law). Buc., 1941. 236 p.; (c) Scrieri de drept civil și procedură civilă (Writings on Civil Law and Civil Procedure). Buc., 1938. 216 p.

414. Sărățeanu, Constantin D. Legea numelui la noi (Law on Changing Names). Buc., 1897. 31 p. (DLC)

415. Sion, Florin. Cursul de drept civil (Course in Civil Law). Iași (?), 1938. 426 p.

416. Stern, Ad. Codicele civil (The Civil Code). Buc., 1888; 1893.

417. Tabacovici, G. Elemente de drept (Elements of Law). Buc., 1915. 3 v.

418. Văiteanu, Emanoil R. Codul civil român cu modificările la zi (The Romanian Civil Code with All Amendments). Buc., 1947. 372 p.

419. Veniamin, Virgil. (a) Curs de drept civil, persoane și familie (Course in Civil Law, Persons and Family). Buc., 1941; (b) Elementele titlului preliminar al codului civil (Elements of Preliminary Chapter of the Civil Code). Buc., 1944. 44 p.

5. Civil Procedure

See also the Special Topics: Courts, Public Prosecutors and Notaries Public; Execution (in Civil Matters); Forensic Medicine; and Nos.: 249; 250a, b; 383; 413c; 514; 564; 649; 894; 901; 1047.1; 1193.1; 1257; 1486; 1495; 1502.

420. Codul de procedură și legea judecătoriilor de ocoale (Code of Civil Procedure and Law on the Justices of the Peace). Buc., 1944.

421. Codul de procedură civilă (Code of Civil Procedure). (a)——. Buc., 1954. 299 p. (DLC); (b) ——. Text oficial cu modificările până la data de 1 Feb. 1955 (Official Text with All Amendments up to Feb. 1, 1955). Buc., 1955. 301 p.; (c) ——. Text oficial cu modificările până la data de 1 Junie 1956 (Official Text with All Amendments Up to June 1, 1956). Buc., 1956. 310 p. (DLC); (d)——. Text oficial cu modificările până la data de 1 Junie 1958 (Official Text with All Amendments up to June 1, 1958). Buc., 1958. 348 p. (DLC)

421.1. Antoniu, Lascăr *and* Istrate Micescu. Despre ancheta *in futurum*. Adnotare (Testimony of Witnesses or Examination of Other Proofs by or Before an Authorized Judge in Order to be Used as Evidence in a Trial. Annotation of a Court Decision). *Pandectele române* (Buc.), pt. II, 1928: 52–60. (DLC)

422. Bârcă, Mihail. Acțiuni declaratorii. Acțiuni provocatorii (Declaratory Judgments). Buc., 1936. 44 p.

423. Cădere, Victor G. Tratat de procedură civilă. După legile de unificare și legile în vigoare în Vechiul Regat și Transilvania (Treatise on Civil Procedure in Accordance with the Unification Laws and Laws in Force in the Old Kingdom and Transylvania). Buc., 1928. 506 p. (DLC)

424. Chebabci, Dimitrie. Tratat teoretic și practic de procedură civilă cuprinzând legea judecătoriilor de pace, acțiunile posesorii, acțiunea de revendicare, regulamentul de hotărnicii, legea de expropriere pentru cauză de utilitate publică (Theoretical and Practical Treatise on Civil Procedure). Buc., 1895. 5 v. (DLC)

425. Codul de Procedură Civilă Carol al II-lea (Code of Civil Procedure of King Carol II). Buc., 1939. 174 p. (DLC)

426. Cotrutz, Dimitrie. Recuzarea. Procedura recuzărei și abținerea judecătorilor. Studiu de procedură civilă comparată (Disqualification of Judges. A Study of Comparative Civil Procedure). Buc., 1930.

427. Dan, Em. (a) Codul de procedură civilă adnotat (Code of Civil Procedure, Annotated). Buc., 1910. 1000 p.; 2d ed. 1914. 980 p. (DLC); 3d ed. 1921. 1086 p. (DLC); (b) Noua procedură accelerată comentată și adnotată (New Rules of Summary Civil Procedure Annotated). Buc., 1930; (c) Procedura accelerată din 19 Mai 1925 (Law of Summary Procedure of May 19, 1925). Buc., 1925.

428. Dimitrescu, Gh. D. Tratat elementar de procedură civilă (Elementary Treatise on Civil Procedure). Buc., 1944. 404 p. (DLC)

429. Dumitrescu, M. A. Manual de procedură civilă (Manual of Civil Procedure). 4th ed. Buc., 1928. 295 p. (DLC)

430. Fratoștițeanu, George N., editor. Procedura civilă adnotată (Civil Procedure Annotated). Buc., 1905.

431. Hamangiu, C., editor. Codul de procedură civilă adnotat (Code of Civil Procedure Annotated). Buc., 1897. 600 p.

432. Herovanu, Eug. (a) Legea pentru accelerarea judecăților (Law on Summary Trials). Buc., 1937. 232 p.; (b) Practica judiciară și extra judiciară (Juridical and Extrajuridical Practice). Buc., 1944. 330 p. (DLC); (c) Principiile procedurei civile (Principles of Civil Procedure). Buc., 1932. 2 v.; (d) Procedura judiciară (Judicial Procedure). In No. 640.1, v. I, 1938; 409–416; (e) Tratat teoretic și practic de procedură civilă (Theoretical and Practical Treatise on Civil Procedure). Iași, 1915; 1926.

433. Hilsenrad, A. Noile modificări aduse dreptului procesual civil (New Amendments of Civil Procedure). Justiția nouă (Buc.), 1954: 499–515.

434. Hilsenrad, Arthur *and* Ilie Stoenescu. Procesul civil în R. P. R. (Civil Trial in the R. P. R.). Buc., 1957. 595 p. (DLC)

435. Ionescu, George T., *editor*. Noul cod de procedură civilă adnotat, 1866–1906 (New Code of Civil Procedure Annotated, 1866–1906). Buc., 1906. 650 p. (DLC)

436. Krupenschi, Leon. Modificările și adăugirile de făcut în procedura civilă (Changes to be Made in Civil Procedure). Galați (?), 1899.

437. Lege pentru modificarea legei de procedură civilă (Law on the Modification of the Code of Civil Procedure. Decree No. 1228, M. O. No. 281, March 15, 1900). Buc., 1900. 134 p. (DLC)

438. Mandicevski, Erast. Studiu comparativ asupra procedurei civile (Comparative Study on Civil Procedure). Buc., 1921.

438. 1. Micescu, Istrate N. Lucru judecat. Hotărâri. Nulități. Acte inexistente. Adnotare (Exception of *Res judicata.* Decisions. Nullity. Acts Null and Void. Annotation of a Court Decision). *Pandectele române* (Buc)., pt. II, 1931: 105–109. (DLC)

439. Mironescu, George G. (a) Analiza noului cod de procedură civilă (Analysis of the New Code of Civil Procedure). Buc., 1904; (b) Ancheta "in futurum" (Pretrial Depositions). Buc., 1904. 26 p.; (c) Lacunele noului cod de procedură civilă (Deficiencies in the New Code of Civil Procedure). Buc. (?), 1902. 64 p.; (d) Revizuirea codului de procedură civilă (Revision of the Code of Civil Procedure). Buc., 1901. 192 p.

440. Moisil, Tudor. Procedura civilă ardeleană (Transylvanian Civil Procedure). Cluj., 1924.

441. Moldovan, Sabin. Studii de drept procesual civil (Studies in Civil Procedure). Arad, 1935.

442. Moșoiu, Ioan, *translator*. Codul de procedură civilă în vigoare în Transilvania (Code of Civil Procedure in Force in Transylvania). Buc., 1922. 338 p.

443. Nacu, C. Reforma judecătorească. Discurs rostit la ședința Senatului de la 16 Martie 1909 (Reorganization of Courts. Report to the Senate). Buc., 1909. 29 p.

444. Negulescu, Dem. (a) Instituțiuni procedurale (Procedural Institutions). Buc., 1911; (b) Teoria poprirei (Theory of Garnishment). Buc., 1904 (?). 160 p.; 2d ed. Buc., 1906.

445. Negulescu, Dimitrie D. Ordonanțele prezidențiale de referé.

Tratat teoretic și practic (Injunctions. A Treatise). Buc., 1942. 575 p.

446. Negulescu, Demetru, *joint author*. Teoria poprirei (Theory of Garnishment). 5th ed. Buc., 1928.

447. Negulescu, Paul. Manual de procedura dreptului român (Manual of Romanian Civil Procedure). Buc., 1899.

448. Păduraru, Gh. D., Ilie I. Stoenescu *and* G. V. Protopopescu. Accelerarea judecăților (Summary Procedure). Buc., 1943. 654 p.; 1947. 472 p.

448. 1. Pașalega, D. Prescripția extinctivă (Statute of Limitation). *Justiția nouă* (Buc.), No. 1, 1960: 66–82. (DLC)

449. Peucescu, Gr. C. Despre acțiuni (Legal Actions). Buc., 1873. 510 p.

450. Petit, Eugen *and* Const. Gr. C. Zotta. Ordonanțele prezidențiale de référé (Injunctions). Buc., 1935. 170 p.

451. Popescu, Gh. M. Ordonanețele prezidențiale (Injunctions). 2d ed. Buc., 1928 ca. 100 p.

452. Popescu, George. Studii de procedură civilă (Study in Civil Procedure). Buc., 1931. 114 p.

452. 1. Porumb, Grațian. Codul de procedură civilă. Adnotat și comentat (Code of Civil Procedure Annotated). Buc., 1960– (DLC)

453. Rădulescu, Nicolae I. Acțiunile posesorii în dreptul României întregite (Recovery of Possessions in Romanian Law). Dej. (?), 1928. 232 p.

454. Rosetti Bălănescu, I., A. Velescu *and* S. Zilberstein. Contestația în anulare (Action for Annulment). *In* No. 681: 349–391.

454. 1. Săftoiu, St., I. Vasilescu-Valjean, Istrate Micescu *and* Const. Xeni. Condițiuni de exercițiu al procedurii référéului. Adnotare (Procedure in Matters of Special Urgency. Annotation of a Court Decision). *Pandectele române* (Buc.), pt. II, 1929: 76–83. (DLC)

455. Săndulescu-Nănoveanu, I. G. Explicația teoretică și practică a codicelui de procedură civile (Theoretical and Practical Comments on the Code of Civil Procedure). 2d ed. Buc., 1879. 880 p. (DLC)

456. Seveanu, Iuliu L. Cum se declară și se judecă recursul în Casație (Appeal to the Supreme Court). Buc., 1940.

457. Silvian, A. Cu privire la atribuțiile procurorului în cauzele

civile (The Duties of the Public Prosecutor in Civil Cases). *Justiția nouă* (Buc.), 1956: 952–966.

458. Sinescu, I. P., *editor*. Noul cod de procedură civilă din 15 Martie 1900, adnotat (New Code of Civil Procedure of 1900, Annotated). Buc., 1900; 1905. 588 p. (DLC)

459. Sotir, N. M., *editor*. Codice de procedură civilă, adnotat (Code of Civil Procedure Annotated). Buc., 1897; 1900. 488 p. (DLC)

460. Stelian, Toma, *editor*. Codul de procedură civilă, adnotat (Code of Civil Procedure Annotated). Buc., 1921. 1086 p. (DLC)

461. Stern, Adolf, *editor*. Codicele române, adnotate. Partea I: procedura codului civil (Romanian Codes Annotated. Part I: Code of Civil Procedure). Buc., 1883; 2d ed. 1890.

462. Stoenescu, Dem. D., *editor*. Legea accelerării judecăților din 1929, adnotată (Law of Summary Civil Procedure of 1929, Annotated). Buc. (?), 1929.

463. Stoenescu, I. Curs de drept procesual civil (Course in Civil Procedure). Buc., 1955. 775 p.

464. Șendrea, Alexandru C. Curs de procedură civilă (Course in Civil Procedure). Buc., 1887.

465. Tacu, Dimitrie. Elemente de procedură civile (Treatise on Civil Procedure). Iașii, 1866. 580 p. (DLC)

466. Tătaru, V. Observațiuni asupra modificărei procedurei civile (Comments on the Modifications of Civil Procedure). Galatz, 1900. 72 p.

467. Tocilescu, G. G. Curs de procedură civilă (Course in Civil Procedure). Iași, v. 1 in 2, 1887 (DLC); Buc., v. 2–3, 1893–1895.

468. Trandafirescu, Constantin. Probe administrate în materie civilă (Administrative Evidence in Civil Law Cases). Buc. (?), 1895.

469. Văiteanu, Emanoil. Codul de procedură civilă din 1900 cu modificările la zi (Code of Civil Procedure of 1900 with All Amendments up to Date). Buc., 1947. 570 p.

470. Vasilescu, Petre. (a) Tratat teoretic și practic de procedură civilă (Treatise on Civil Procedure). Iași, 1941. 2 v.; (b) Camera de Consiliu. Studiu de procedură civilă (Civil Procedure *in Camera*). Buc., 1929. 740 p.; 1936 (?).

471. Vicol, Const. Recursul (Appeal to the Supreme Court). Buc., 1946. 234 p.
472. Zeleş, Mihail M. Hotărârile interlocutorii (Interlocutory Judgments). *Pandectele române* (Buc.), pt. IV, 1944: 81–91.
473. Zotta, Const. Gr. C., *editor*. Codul de procedură civilă adnotat (Code of Civil Procedure Annotated). Râmnicul-Sărat, 1931. 3 v. (DLC)

6. Commercial Law

See also the Special Topics: Banking; Bankruptcy; Corporations; Foreign Exchange; Foreign Trade; Negotiable Instruments; Revalorization; and Nos.: 224; 226b; 227; 241a; 383; 410c; 1228; 1268; 1299; 1302; 1326; 1334; 1347; 1418a, b; 1440; 1456; 1462; 1503; 1514; 1518a; 1536a; 1558a.

474. Ante proectul codului comercial unificat al României Mari (Draft of the Uniform Commercial Code of Great Romania). Buc., 1931 (?) 439 p. (DLC)
475. Codice de comerciu al Regatului României din 1887, cu modificările introduse prin legea din 20 Junie 1895 şi regulamentul din 7 Sept. 1887 şi cel din 20 Junie 1895 (Commercial Code of the Kingdom of Romania of 1887, as Modified in 1895). Buc., 1895. 336 p. (DLC)
476. Codice de comerţ (Commercial Code). Craiova, 1928. 398 p. (DLC)
477. Antonescu, Eftimie. Codul comercial adnotat (Commercial Code Annotated). Buc., 1908–1914. 3 v. (DLC); Buc., 1910–1931. 7 v.
478. Arion, C. C. Elemente de drept comercial (Treatise on Commercial Law). Buc., 1920.
479. Bălescu, Const. Cestiuni de drept comercial şi maritim (A Study on Commercial and Maritime Law). Buc., 1929. 400 p.
480. Boerescu, B. Explicarea condicei comerciale române (Comments on the Romanian Commercial Code). Buc., 1859. 446 p.
481. Demetrescu, P. Comercianţii în ante-proectul codului comercial (Merchants in the First Draft of the Commercial Code). Buc., 1931.
482. Demetrescu, Paul I. *and* I. L. Georgescu, *editors*. Codul comer-

cial Carol al II-lea (Commercial Code of King Carol II). Buc., 1938. 510 p.

483. Dumitrescu, M. A. (a) Codul de comerciu, comentat (The Commercial Code Annotated). Buc., 1904. 7 v. (DLC); (b) Codul de comerciu (cu textele corespunzatoare italiene, franceze, belgiene, austriace) adnotat cu jurisprudența la zi a Curței de Casație, a curților de apel și a tribunalelor române dimpreună cu jurisprudența italiană, franceză, belgiană, austriacă (The Commercial Code Annotated with Italian, French, Belgian, and Austrian Provisions and Court Decisions). Buc., 1926–1927. 3 v. (DLC); (c) Dreptul maritim și falimentul (Maritime Law and Bankruptcy). Buc., 1928. 1054 p. (DLC); (d) Manual de drept comercial (Manual of Commercial Law). Buc., 1924–1926. 4 v. (DLC)

484. Dumitriu, Vasile and Ștefan G. Gane. Dreptul comercial cambial, al falimentelor și maritim al României. Tradus în limba germană de Gheorghe Flaișlen (Romanian Commercial Law, Bills and Notes, Bankruptcy and Maritime Law. Translated into German by Gheorghe Flaișlen). Berlin, 1909. 330 p. (DLC) In Romanian and German.

485. Fințescu, I. N. Curs de drept comercial (Course in Commercial Law). Buc., 1929. 2 v.?

486. Fratoștițeanu, George N. Noul codice de comerciu adnotat (New Commercial Code Annotated). Buc., 1892; 1905.

487. Gălășescu-Pyk, D. Tendințe noui în dreptul comercial (New Tendencies in Commercial Law). *Pandectele române* (Buc.), pt. IV, 1932: 65–72.

488. Georgescu, I. L. (a) Drept comercial român (Romanian Commercial Law). Buc., 1946. 2 v. (DLC); 1947. 668 p.; (b) Sinteza critică de lege ferenda, a actelor de comerț, autonomia dreptului comercial (Critical Study for Future Legislation on Commercial Transactions and a Separate Commercial Law Apart from Civil Law). Buc., 1929. 200 p.

489. Hacman, M. Drept comercial comparat (Comparative Commercial Law). Buc., 1930–1932. 2 v.

490. Hamangiu, C. Codul comercial, adnotat (Commercial Code Annotated). Buc., 1898. ca. 1000 p.

491. Hașdeu, B. P. Industria națională, industria străină și indus-

tria ovreiască față cu principiul concurenței (Principle of Trade Competition in National Industry, Foreign Industry, and Jews in Industry). Buc., 1866.

492. Hausknecht, Louis. Memorator al dreptului comercial (Outlines of Commercial Law). Cernăuți, 1929. 112 p. (DLC)

493. Ilia, Filimon. Cursul de drept comercial (Course in Commercial Law). Buc., 1883.

494. Ionescu, George T. and I. Vasilescu Nottara. Codul comercial, adnotat (Commercial Code Annotated). 2d ed. Buc., 1927. 429 p. (DLC)

495. Ionescu, Stelian. (a) Codul comercial, adnotat (Commercial Code Annotated). Buc., 1933. 1150 p. (DLC); (b) Studii de drept comercial (Studies on Commercial Law). Buc., 1929.

496. Maniu, Grigorie V. Dreptul comercial cu esplicațiuni teoretice și practice asupra codicelui de comerciu român (Commercial Law with Theoretical and Practical Comments on the Romanian Commercial Code). Buc., 1893. 2 v.; 1908. 3 v.

497. Păianu, N. I. Studii asupra legii de încurajare a industriei naționale din anul 1887 (A Study of the Law on Encouraging National Industry). Buc., 1910.

498. Petrașcu, N. Analiza ante proectului codului de comerț (Study of a Draft of a Commercial Code). Buc., 1931.

499. Popovici, Alexandru. Concurența neleală în teorie și practică (Unfair Competition). Buc., 1929. 132 p.

500. Poruțiu, Petre. Tratat de drept comercial (Treatise on Commercial Law). Cluj, 1946. 460 p.

501. Predoviciu, Ioan I. Codul comercial din Transilvania, adnotat (Transylvanian Commercial Code, Annotated). Buc., 1925. 508 p.

501. 1. Preuțescu, Laurențiu. Codul comercial adnotat (Commercial Code, Annotated). Buc., 1933. 1150 p. (DLC)

502. Rădoi, I., editor. Noul codice de comerciu (New Commercial Code). Buc., 1887.

503. Stoeanovici, Const. A. Drept comercial (Commercial Law). Buc., 1925. 2 v.

504. Societăți anonime. Acțiuni. Unic acționar. Decizia Curții de Casație, secția IVa din 13 Aprilie, 1943, adnotată de E. Cristoforeanu (Stock Companies. Sole Stockholder. Decision of April

13, 1943 of Division IV of the Court of Cassation Annotated). *Pandectele române* (Buc.), pt. I, 1945: 35–41. (DLC)

505. Strihan, Petre. Contribuțiuni la studiul juridic al regiei publice comerciale (Legal Study of Public Business Agencies). *Revista de drept comercial și studii economice* (Buc.), 1935: 3–15. (DLC)

506. Toneanu, C. N. Tratat de drept comercial (Treatise on Commercial Law). Galați, 1909. 2 v.

507. Trancu-Iași, Gr. L. Dreptul comercial. Opiniuni și controverse (Commercial Law. Opinions and Controversies). Buc., 1914. 163 p. (DLC)

508. Văiteanu, Emanoil R. Codul redresării economice și al stabilizării monetare (The Code of Trade Regulation and Monetary Stability). Buc., 1947. 425 p. (DLC)

509. Vasilescu-Notara, I. M. Studii de drept comercial (Studies on Commerical Law). Buc., 1914.

510. Vasiliu, Virgil D. Dreptul maritim ca element de protecție a industriei transporturilor pe apă (Maritime Law and the Business of Shipping by Water). Buc., 1940.

7. Criminal Law

See also the Special Topics: Courts, Public Prosecutors and Notaries Public; Forensic Medicine; Trials; and Nos.; 225; 383; 637; 641; 1147.1; 1182.1; 1261; 1333.1; 1338; 1346; 1384; 1409; 1415; 1453; 1518b; 1536b; 1536c; 1540; 1584; 1585.

511. Codul penal din Transilvania (Criminal Code of Transylvania). 2nd ed. Oradea-Mare, 1923. 151 p. (DLC)

512. Codul penal Carol al II-lea (Criminal Code of King Carol II). Cluj, 1936. 391 p. (DLC); Buc., 1939. 267 p.

513. Codul penal (Criminal Code). (a) Text oficial cu modificările până la data de 20 Mai 1955 (Official Text with All Amendments up to May 20, 1955). Buc., 1955. 281 p. (DLC); (b) Text oficial cu modificările până la data de 1 Junie 1958 (Official Text with All Amendments up to June 1, 1958). Buc., 1958. 326 p. (DLC); (c) Text oficial cu modificările pâaă la data de

1 Decembrie 1960 (Official Text with all Amendments up to December 1, 1960). Buc., 1961. 428 p. (DLC)

514. Modificările codului penal, ale codului de procedură penală şi ale codului de procedură civilă (Amendments to Criminal Code and Codes of Criminal and Civil Procedure). Buc., 1951. 77 p. (DLC); 1959. 115 p. (DLC); 1962. 598 p. (DLC)

515. Angelescu, C. C. Pedeapsa cu moartea la români (The Death Penalty in Romania). Buc., 1927.

516. Bădulescu, G. St. and G. T. Ionescu. Codul penal adnotat (Criminal Code Annotated). Buc., 1911.

517. Bállan, C. S. Cauzele criminalităţii (Causes of Criminality). 5th ed. Buc., 1928.

518. Boeru, Emilian. Conexitatea în dreptul penal (Causal Connection in Criminal Law). Buc., 1942. 272 p.

519. Braunstein, Berthold. Dreptul penal al R. P. R. (Criminal Law of the R. P. R.). Iaşi, 1959. 238 p.; Buc., 1961. 412 p. (DLC)

520. Condeescu, Ioan I. Codicele penal român adnotat şi esplicat (The Romanian Criminal Code Annotated). Buc., 1883.

521. Creţescu, Alex. (a) Codicele penal (Criminal Code). Buc. (?), 1866; (b) Comentariu alu condicitoru României (Codice penale) (Commentary on the Romanian Criminal Code). Buc., 1866.

522. Deciu, E. (a) Infracţiunea de negligenţă în serviciu (Crime of Negligence on the Job). Legalitatea populară (Buc.), v. 4, 1958, No. 4: 21–34; (b) Infracţiunile împotriva protecţiei muncii (Crimes Against Protection of Labor). Legalitatea populară (Buc.), v. 4, 1958, No. 12: 24–37.

523. Decuseară, Eugen C. (a) Reforma legislaţiei noastre penale (Changes in Our Criminal Legislation). Craiova, 1923; (b) editor. Codul amnestiei şi graţierei (Code of Amnesty and Pardons). Buc. (?), 1933 (?).

524. Dianu, Gr. Istoria închisorilor din România (History of Prisons in Romania. A Comparative Study of Law and Customs). Buc., 1900. 182 p.

525. Dongoroz, Vintilă. (a) Drept penal (Criminal Law). Buc., 1929; 1939. 772 p.; 1941. 901 p. (DLC); (b) Curs de drept şi procedură penală (Course in Criminal Law and Criminal Procedure). Buc., 1930; (c) Inlocuirea răspunderii penale pentru unele infracţiuni cu răspundere administrativă sau disciplinară

(Crimes Formerly Under the Criminal Code Which Are Now Punished by Administrative or Disciplinary Bodies). Buc., 1957. 210 p. (DLC); (d) Principalele transformări ale dreptului penal al R. P. R. în lumina concepției marxist-leniniste (Important Transformations of Criminal Law in the R. P. R., in the Light of Marx and Lenin Doctrine). *In* No. 681: 393–432.

526. Drăgănescu, Ion. Abuzul de încredere (Breach of Trust). *Pandectele române* (Buc.), pt. 4, 1945: 65–79. (DLC)

527. Dragomir, N. Răspunderea statului de daune (Responsibility of the State for Damages). Buc., 1934.

527. 1. Eraclide, Constantin. Studii practice asupra dreptului criminal (A Study on Criminal Law). Buc., 1865.

528. Dumitrescu, M. A. Manual de drept penal (Manual of Criminal Law). 2nd ed. Buc., 1926. 344 p. (DLC)

529. Filitti, Ioan C. Vechiul drept penal român (Old Criminal Law in Romania). Buc., 1928; 1934. 74 p.

530. Filitti, I. C. *and* George Vrăbiescu. Legislația penală (Criminal Legislation). *In* No. 640.1, v. 1, 1938: 397–408. (DLC)

531. Fratoștițeanu, George N. (a) Codicele penal adnotat cu jurisprudența romănă (Criminal Code Annotated). Buc., 1891; 1905; (b) Codicele penal și procedura penală (Criminal Code and Criminal Procedure). Buc., 1892.

532. Iliescu, N. Problema incriminării, și sancționării actelor preparatorii (Incrimination and Punishment of Preparatory Acts). *In* No. 681: 481–508.

533. Iliescu, Paul *and* Doru Gherson, *editors.* Manual penal de audiență cuprinzând codul penal și procedura penală Carol II . . . (Cyclopedia for Justices Including King Carol II's Criminal Code and Code of Criminal Procedure). Buc., 1936. 739 p. (DLC)

534. Ionescu, Alex. G. Sabotajul economic (Economic Sabotage). Buc., 1942. 124 p.

535. Lerescu, Ioan C., *editor.* Codicele penale romănu (Romanian Criminal Code). Buc., 1874.

536. Lungulescu, Ilie N. Codul legilor penale speciale și ale judecătoriilor comunale (Code of Special Criminal Laws and of Local Courts). Timișoara, 1939. 412 p. (DLC)

537. Lupu, Ioan. Vina și procesul ei la romăni (Theory of Guilt at Trials in Romania). Iași, 1934. 456 p. (DLC)

537. 1. Mănescu, C. I. Desvoltarea dreptului penal socialist în R. P. R. (Development of Socialist Criminal Law in the R. P. R.). *Justiția nouă* (Buc.), No. 2, 1961: 259–271. (DLC)

538. Manoliu, Marius A. Cazul fortuit și forța majoră în dreptul penal (Acts of God in Criminal Law). Buc., 1942. 120 p.

539. Merlescu, I. V. Dreptul vamal sancționar (Legal Penalties Under the Customs Law). Preface by Paul Negulescu. Buc., 1924. 330 p.

540. Mihăilescu, Luca M., *editor*. Noua lege a speculei și a sabotajului din 1 Mai 1943 (The New Law on the Black Market and Sabotage, May 1, 1943). Slatina (?), 1943.

541. Missir, B. M. Câteva difficultăți practice în aplicarea noului codu penalu (Practical Difficulties in the Application of the New Criminal Code). *Dreptulu* (Buc.), 1874: 158–160, 164–168, 188–192. (DLC)

542. Moruzi, Jean P. Noile tendințe ale dreptului penal special (The New Tendency in the Special Criminal Law). Buc., 1946. 32 p.

543. Nesselrode, Carol. (a) Dreptul penal al minorilor (Criminal Law Relating to Minors). Oradea, 1929. 382 p.; (b) Legea despre instanța adolescenților (Law on Juvenile Delinquency). Oradea, 1928. 86 p.

544. Nițescu-Zlatian, C. Codul penal Carol al II-lea în lumina moralei creștine (Criminal Code of King Carol II in the Light of Christian Morals). Buc., 1937. 103 p.

545. Oancea, I. Curs de drept penal R. P. R. (Course in Criminal Law of the R. P. R.). Buc., 1954. 447 p.; 1957. 339 p.

546. Papadopolu, M. I. (a) Codul legilor penale române adnotate (The Romanian Criminal Code, Annotated). Buc., 1932. 636 p. (DLC); Buc., 1935. 350 p.; (b) Codul penal adnotat (Criminal Code Annotated). Buc., 1930. 504 p. (DLC); Supplement, 1931. 122 p. (DLC)

547. Pastion, I., *joint author*. Codul penal adnotat (Criminal Code Annotated). Buc., 1922 (?). 750 p.

548. Pavel, D. Infracțiunea de delapidare (Crime of Embezzlement). Buc., 1959. 152 p.

549. Pella, Vespasian V. (a) Delicte îngăduite (Non-Punishable Crimes). Preface by Iulian Teodorescu. Buc., 1919. 520 p. (DLC);

(b) Explicarea teoretică și practică a legii și regulamentului pentru înfrânarea și reprimarea speculei ilicite (Theoretical and Practical Commentary on the Law and Regulations to Suppress Illicit Traffic of Goods). Buc., 1923. 228 p.; (c) Studii penale (Criminal Studies). Buc., 1921. 140 p.; (d) Vagabondajul și cerșetoria (Vagrancy and Mendicancy). *Dreptul* (Buc.), 1921: 257–259, 273–276, 281–283, 297–300, 305–309. (DLC)

550. Penculescu, Gh., *joint author*. Reglementarea sancționării contravențiilor, îndreptar legislativ (Guide to Legislation Dealing with the Punishment of Petty Offenses). Buc., 1956. 449 p. (DLC)

551. Periețeanu, I. Gr. *and* A. Fulga, *editors*. Legea pentru controlul averilor și regulamentul ei de aplicare (Law Controlling the Income and Properties of High Officials and Regulations for Its Application). Buc., 1933.

552. Peucescu, Gr. C. Modificarea codului penalu (Amendments to the Criminal Code). *Dreptul* (Buc.), 1874: 131–133, 137–140, 180–183, 186–188. (DLC)

553. Pop, Traian. (a) Curs de criminalogie (Course in Criminology). Cluj, 1928. ca. 700 p.; (b) Drept penal (Criminal Law). Cluj, 1921–1924. 3 v.

553. 1. Popovici, M. Curs de drept penal. Partea generală (Course on Criminal Law. General Part). Buc. (?), 1956.

553. 2. Rîpeanu, Gr. Manual de drept penal al R. P. R. Partea specială (Manual on Criminal Law of the R. P. R. Special Part). Buc., 1960. 130 p.

554. Rătescu, Const. G., I. Ionescu-Dolj, I. Periețeanu, *joint authors*. Codul penal Regele Carol al II-lea (Criminal Code of King Carol II). Buc., 1937. 3 v. (DLC)

555. Sachelarie, Ovid *and* Ovid Stănciulescu. Considerațiuni asupra măsurilor de prevenire și de reprimare a speculei ilicite și a sabotajului economic (Prevention and Suppression of Illicit Traffic in Goods and Economic Sabotage). Buc., 1943. 94 p.

555.1. Scriban, Ștefan Romulus. Noțiuni de drept penal (Principles of Criminal Law). Ploești (?), 1903. 100 p.

556. Solomonescu, George. Tratamentul infractorului minor în dreptul penal comparat (The Minor in Comparative Criminal Law). Buc., 1935.

557. Ştefănescu, Damian G. Delictul de şantaj (Crime of Extortion). *Pandectele române* (Buc.), pt. IV, 1938: 15–20. (DLC)

558. Stegăroiu, Constantin C. Drept penal; partea generală (Criminal Law; General Part). Cluj, 1958. 298 p. (DLC)

559. Stoica, Oliviu Aug. Despre subiectul infracţiunii de delapidare (A Study of Embezzlement). *Legalitatea populară* (Buc.), v. 5, No. 9, 1959: 25–46.

560. Strauss, F. Noţiunea de funcţionar în dreptul nostru penal (The Concept of the Civil Servant in Our Criminal Law). *Justiţia nouă* (Buc.),1956: 456–462. (DLC)

561. Tanoviceanu, I. (a) Criminalitatea în România după ultimile publicaţii statistice (Criminal Statistics of Romania). Buc., 1909. 22 p.; (b) Curs de drept penal (Course in Criminal Law). Buc., 1912. 2 v. (DLC); (c) Cursul de drept penal şi procedură penală (Course in Criminal Law and Criminal Procedure). Buc., 1924. 5 v.; (d) Un pericol naţional: creşterea criminalităţii în România (A National Danger: The Increase of Crime in Romania). Iaşi, 1896. 100 p.

562. Teodorescu, Iulian. (a) Curs de drept şi procedură penală (Course in Criminal Law and Criminal Procedure). Buc., 1931 (?); (b) Minoritatea în faţa legii penale (Minors Under the Criminal Law). Buc., 1928. 296 p.

563. Tigoianu, Mihail. Premeditarea. Studiu de drept şi legislaţie Comparată cu doctrina şi jurisprudenţa romană, rusă, maghiară (Premeditation. Legal Study and Comparative Legislation on Romanian, French, Russian and Hungarian Doctrinal Writings and Court Decisions). Preface by C. Dissescu. Buc., 1927. 120 p.

564. Tocilescu, G. G. Programa cursurilor de drept penal, procedura penală şi procedură civilă (Program of Courses in Criminal Law, Criminal Procedure, and Civil Procedure). Iaşi, 1885.

565. Văiteanu, Emanoil. Codul penal Regele Mihai I cu rectificările, modificările şi anexe până la 1 Ianuarie 1947 (Criminal Code of King Michael I with All Amendments and Annexes Up to January 1, 1947). Buc., 1947. 270 p.

8. Criminal Procedure

See also Nos.: 383; 514; 525b; 531b; 533; 561c; 562a; 564; 676; 863.1; 872.1; 1150.1; 1426.1; 1536b, d; 1583.

566. Codul de procedură penală Carol al II-lea (Code of Criminal Procedure of King Carol II). Buc., 1939. 243 p. (DLC)

567. Codul de procedură penală (Code of Criminal Procedure). (a) Text oficial cu modificările până la data de 1 Julie 1955 (Official Text with All Amendments Up to July 1, 1955). Buc., 1955. 243 p. (DLC); (b) Text oficial cu modificările până la data de 1 Junie 1958 (Official Text with All Amendments up to June 1, 1958). Buc., 1958. 276 p. (DLC); (c) Text oficial cu modificările până la data de 1 Decembrie 1960. (Official Text with All Amendments up to December 1, 1960). Buc., 1960. 374 p. (DLC)

568. Busch, R. Nulitățile codului de procedură penală Carol al II-lea (Null and Void Acts under the Code of Criminal Procedure of King Carol II). Cernăuți, 1937. 35 p.

569. Buzea, N. T. Executarea hotărîrilor penale, după noile legiuiri penale (Execution of Criminal Judgments). Iași, 1940.

570. Constantinescu, Jac. Procedura penală (Criminal Procedure). Buc., 1930.

571. Culianu, Henri. Legea flagrant-delictelor din 13 Aprilie 1913 adnotată și comentată cu doctrina și jurisprudența la zi, precum și micul parchet (Law on Criminals Caught in the Act, Annotated). Buc., 1934. 120 p.

572. Dimitriu, Dimitrie I. Plângerea prealabilă (Private Complaint). Piatra-Neamț, 1946. 88 p.

572. 1. Drăgănescu, Ion. Contestația penală (Action for the Modification of a Court Decision in Criminal Matters). Pandectele române (Buc.), pt. 4, 1941: 133–157. (DLC)

573. Dumitrescu, M. A. Manual de procedură penală (Manual of Criminal Procedure). 4th ed. Buc., 1928. 294 p. (DLC)

574. Feller, S. Contribuții la studiul raportului juridic penal material și procesual penal precum și al garanțiilor procesuale (A Study of the Substantive and Adjective Rule of Law in Criminal Matters and Guarantees in Criminal Procedure). Buc., 1960. 119 p. (DLC)

575. Feller, S. *and* A. Petrescu. Trăsăturile specifice comune ale instanțelor și procuraturii în R. P. R. ca organe de stat speciale pentru asigurarea legalității populare (Specific Features Common to Courts and Government Attorneys as Special Government Agencies for Ensuring the People's Legality in the R. P. R.). *Justiția nouă* (Buc.), 1956: 579–594.

576. Georgescu, Emil, *joint author.* Supravegherea generală exercitată de procuratură (General Supervision Exercised by Prosecutors). Buc., 1959. 148 p. (DLC)

577. Hamangiu, C., *editor.* Procedura generală. Codul de instrucție adnotat (General Criminal Procedure Annotated). Buc., 1904.

577.1. Ionescu-Dolj, I. Curs de procedură penală română în comparațiune cu procedurile din provinciile alipite și alte proceduri străine (Course in Romanian Criminal Procedure and a Comparative Study of Foreign Procedures in the New Provinces). Buc., 1926. 400 p.; 1937. 596 p. (DLC)

578. Kahane, Siegfried. (a) Curs de drept procesual penal (Course in Criminal Procedure). 2d ed. Buc., 1956. 430 p. (DLC); 3rd ed. 1958–59; (b) Dreptul procesual penal în R. P. R. (Criminal Procedure Law of the R. P. R.). Buc., 1961. 186 p.

579. Nesselrode, Carol. Procedura privitoare la ocrotirea minorilor (Procedure for the Protection of Minors). Oradea, 1932. 100 p.

580. Pavel, D. Modificările codului de procedură penală al R. P. R. (Amendments to the Code of Criminal Procedure of the R. P. R.). *Justiția nouă* (Buc.), 1953: 764–807.

581. Pessicu, G. I. Manuale pentru judecătorii de instrucțiune (Manual for Investigating Judges). Craiova, 1873.

582. Pop, Traian. (a) Drept procesual penal (Criminal Procedure). Cluj, n.d. 2 v. (DLC); (b) Tratat de drept procesual penal (Treatise on Criminal Procedure). Cluj, 1946–1948. 4 v.

583. Popescu, Stelian. Rolul procurorului în expertizele medico-legale (The Role of the Public Prosecutor in Regard to Forensic Medicine Reports). Buc., 1900.

584. Rătescu, Const. G. *and* N. Pavelescu, *editors.* Codul de procedură penală adnotat (Code of Criminal Procedure Annotated). Buc., 1930; 1932.

585. Stătescu, St. Despre penitenciare (Penitentiaries). Buc., 1895.

586. Stoenescu, Ilie, Ioan Vagner *and* V. G. Protopopescu. Codul de procedură penală adnotat (Code of Criminal Procedure Annotated). Buc., 1947. 2 v.

586. 1. Stonescu, Ilie, *joint editor.* Codul de procedură penală al R. P. R., adnotat de Petre Sârbulescu, Mihail Zeleş şi Ion Bogdan (Code of Criminal Procedure of the R. P. R., Annotated). Buc., 1948. 338 p. (DLC)

587. Suţu, M. Câteva cuvinte asupra instituţiei juriului în România (The Jury in Romanian Law). Iaşi (?), 1895.

588. Tănăsescu, Teodor G. (a) Micul parchet şi legea liniştei publice (Summary of Criminal Procedure and Law on Disturbing the Peace). Cluj, 1925. 220 p.; (b) Codul de procedură penală. Camera de Acuzare (Code of Criminal Procedure. Chamber of Indictment). Buc., 1928.

589. Tanoviceanu, Ioan. (a) Curs de procedură penală română (Course in Romanian Criminal Procedure). Buc., 1912. 724 p.; (b) Tratat de drept şi procedură penală. Editia 2a revizuită, doctrina de Vintilă Dongoroz, referinţe la legislaţiunile din Bucovina şi Ardeal de Corneliu Chieseliţă şi Stefan Laday. Jurisprudenţa de Eugen C. Decuseară (Treatise on Criminal Law and Criminal Procedure. Second Edition, Revised by Vintilă Dongoroz and Others. Preface by N. C. Schina. Surveys of the Legislation of Bukovina and Transylvania). Buc., 1924–27. 5 v. (DLC); (c) Acţiunea publică şi acţiunea privată în materie de societăţi prin acţiuni (Public and Private Actions Against Corporations). Buc., 1914. 31 p.

590. Tarhon, V. Gh. Infracţiunile pentru care se aplică proceduri speciale de urmărire şi judecată (Special Procedure for the Apprehension and Trial for Certain Crimes). Buc., 1958. 304 p. (DLC)

591. Teodoru, Grigore. Curs de drept procesual penal. Partea generală (Course in Criminal Procedure. General Part). Iaşi, 1959. 492 p.

592. Viforeanu, Const. Al., Eugen Petit *and* Nicolae D. Ghimpa. Codul de procedură penală Carol al II-lea (Code of Criminal Procedure of King Carol II). Buc., 1936. 448 p.

9. International Law

(a) Public International Law

See also Nos.: 212; 1245; 1252; 1266; 1269a; 1272; 1315.2;
1322; 1325; 1327b; 1365a; 1374; 1383h; 1403; 1430.1;
1436a; 1437; 1455; 1457; 1457.3; 1465; 1480; 1481; 1490.1;
1513; 1530b; 1533; 1551.

593. Antonescu, Mihail A. (a) Ce este şi ce poate fi revizuirea trata-
telor internaţionale. Revizionismul juridic (Revision of Interna-
tional Treaties. Legal Revision). Buc., 1937; (b) Criza Societăţii
Naţiunilor (Crisis of the League of Nations). Buc., 1936. 87 p.;
(c) Elemente de drept internaţional public (A Study on Public
International Law). Buc., 1930. 163 p.

594. Antonescu, Petre. Rezumat de drept internaţional public
coprinzând: chestiunea Dunării şi principalele legi ale conven-
ţilor dela Geneva şi Haga privitoare la răsboiu (Resumé of In-
ternational Public Law . . .). Buzeu, n.d.

595. Bolintineanu, A. Consideraţii asupra elaborării regimului
juridic al spaţiului cosmic în lumina principiilor generale ale
dreptului internaţional (A Study of the Legal Regime of Cosmic
Space in the Light of General Principles of International Law).
In No. 681: 537–558.

596. Constantin, Gh. Dreptul internaţional şi folosirea paşnică a
energiei atomice (International Law and the Peaceful Use of
Atomic Energy). Buc., 1958. 149 p. (DLC)

597. Crişan, Titus. Crima de drept internaţional (Crime in Inter-
national Law). Sibiu, 1945. 52 p.

598. Daşcovici, Neculae. (a) Intersele şi drepturile României (In-
terests and Rights of Romania). Iaşi, 1936. 686 p. (DLC); (b)
Politica externă a României (Romania's Foreign Policy). Iaşi,
1936; (c) Principiul naţionalităţilor şi Societatea Naţiunilor
(The Principle of Nationality and the League of Nations). Buc.,
1922. 177 p. (DLC)

599. Ghelmegeanu, M. Coexistenţa paşnică şi dezsoltarea dreptului
internaţional general contemporan (Peaceful Coexistence and

Development of Modern General International Law). *Studii și cercetări juridice* (Buc.), v. 5, No. 1, 1960: 83–113. (DLC)

600. Giurescu, Constantin. Tratatul lui Constantin Cantemir cu Austriacii (Constantin Cantemir's Treaty with Austria). Buc., 1913.

601. Hacman, M. Dreptul internațional public și privat (Public and Private International Law). Cernăuți, 1924.

601.1. Maniu, Iuliu. Problema minorităților (The Problem of Ethnic Minorities). Buc., 1924 (?). 21 p. (DLC)

602. Maniu, Vasile. Convențiunea Consulară cu Germania (Consular Convention with Germany). Buc., 1886.

603. Meitani, G. Curs de drept internațional public (Course in Public International Law). Buc., 1931. 560 p. (DLC)

604. Netta, X. Situația creată României prin acordurile dela Haga și Paris (The Romanian Position Created by the Agreements of the Hague and Paris). Buc., 1931.

605. Niciu, M. Drept internațional public. Note de curs (Course in Public International Law). Buc., 1956. 278 p. (DLC)

606. Olteanu, Olimpiu. (a) Drept internațional public (Public International Law). Buc., 1956. 611 p. (DLC); (b) Tratatul de prietenie, colaborare și asistența mutuala dela Varșovia (Treaty of Friendship, Cooperation, and Mutual Assistance. Warsaw Pact). *Justiția nouă* (Buc.), 1956: 387–397.

607. Oprea, Zeno. Devaluările monetare sub regimul acordurilor internaționale de plăți (Devaluation under International Monetary Agreements). *Pandectele române* (Buc.), pt. IV, 1939: 140–152. (DLC)

608. Plastara, G. (a) Consecințele juridice ale tratatului între România și Bulgaria semnat la Craiova la 7 Sept., 1940 (Legal Consequences of the Romanian-Bulgarian Treaty Signed at Craiova, 1940). *Pandectele române* (Buc.), pt. IV, 1942: 102–121 (DLC); (b) Manual de drept internațional public (Manual of Public International Law). Buc., 1927. 700 p. (DLC)

609. Popescu, Tudor R. Probleme juridice în relațiile comerciale internaționale ale R. P. R. (Legal Problems of the R. P. R. in International Commercial Relations). Buc., 1955. 272 p.

610. Sofronie, George. (a) Contribuţii la cunoașterea Societăţii Naţiunilor (A Study of the League of Nations). Buc., 1927. 164 p.; (b) Desvoltarea contimporană a dreptului internaţional public şi tendinţele actuale (Modern Development of Public International Law and Existing Tendencies). Buc., 1928. 80 p.; (c) Fenomenul răsboiului în lumina angajamentelor internaţionale (Concept of War in International Agreements). Buc., 1936; (d) Principiul naţionalităţilor în tratatele de pace din 1919–1920 (Principle of Nationality in the Peace Treaties of 1919–1920). Buc., 1935. 264 p.; (e) Răspunderea guvernanţilor în lumina dreptului internaţional (Government Responsibility in the Light of International Law). Sibiu, 1944. 60 p.; (f) Problema organizării securităţii colective (The Problem of Collective Security). Homage to Prof. Gusty. Buc., 1937; (g) Securitatea internaţională (International Security). Oradea (?), 1934.

610.1. Tatomir, N. Curs de drept internaţional public (Course in Public International Law). Iaşi, 1961. 648 p.

611. Urseanu, V. Noţiuni de drept internaţional public (Concepts of Public International Law). Buc., 1912. 146 p.

(b) Collections of International Treaties (Privately Printed)

612. Djuvara, T. G. Tratate, convenţiuni şi învoiri internaţionale ale României (Romanian Treaties, Conventions and Agreements). Buc., 1888. 1013 p. (DLC) Also in French.

613. Golescu, Dinicu. Adunerea de tractaturi (Collection of Treaties). *Foaie pentru minte* (Braşov), 1842: 50, 57, 69, 77, 86, 91.

613.1. Mitilineu, M., *editor*. Colecţiune de tratatele şi convenţiunile României, cu puterile străine dela anul 1368 până în zilele noastre (Collection of Romanian International Agreements, 1368–1874). Buc., 1874. 365 p. (DLC)

614. Nano, F. C., *editor*. Condica tratatelor şi a altor legăminte ale României (Collection of Romanian Treaties). Buc. (?), 1938. 687 p. (DLC)

615. Ţiulescu, C. Toblou de tratatele, convenţiile şi aranjamentele internaţionale ale României astăzi în vigoare (Collection of Romanian International Agreements in Force). Buc., 1925.

(c) Private International Law (Conflict of Laws)

See also Nos.: 601; 1356; 1375; 1408; 1436d; 1441; 1498; 1506.

616. Antonescu, Erwin Em. Tratat teoretic şi practic de drept internaţional privat (Treatise on Private International Law). Buc., 1934. 488 p. (DLC)

617. Busdugan, C. N. Forma testamentelor în dreptul internaţional privat (Form of Testaments in Private International Law). Reprint from *Revista de drept şi sociologie* (Buc.), 1900.

618. Hillard, Victor. Principii de drept internaţional privat în legislaţia pozitivă română (Principles of Private International Law in Romanian Legislation). Buc., 1932. 300 p.

619. Juvara, Alfred. Dreptul internaţional privat dinaintea tribunalelor streine (Private International Law Before Foreign Courts). Buc., 1912. 226 p.

620. Maxim, Dimitrie G. Interpretarea legilor străine (Interpretation of Foreign Laws). *Pandectele române* (Buc.), pt. I, 1930: 82–91. (DLC)

621. Oncescu-Beştelei, M. Executarea sentinţelor streine în România şi imunitatea de jurisdicţiune a consulilor streini (Enforcement of Foreign Judgments in Romania and Immunity of Foreign Consuls). Buc., 1927.

622. Pârăianu, N. Testamentul în dreptul internaţional privat (Testaments in Private International Law). Buc., 1940. 116 p.

623. Popescu, Tudor. (a) Curs de drept internaţional privat (Course in Private International Law). Buc., 1954. 172 p.; (b) Drept internaţional privat. Partea I-a (Private International Law. Part I). Buc., 1955. 391 p.

624. Preuţescu, Laurenţiu L. Natura competenţei jurisdicţionale în dreptul internaţional privat (Jurisdiction in Private International Law). Buc. (?), 1936. 176 p.

625. Possa, Mircea. Efectele hotărîrilor judecătoreşti străine în România (Exequatur in Romania). Iaşi (?), 1923. 350 p.

625. 1. Radu, I. Ştiinţa şi tehnica dreptului internaţional privat (The Science and Technique of Private International Law). Cluj, 1933–1934. 2 v. (DLC)

10. Legal Theory, Jurisprudence, Philosophy of Law, Political Science

See also Nos.: 265; 279; 281; 283; 283.1; 296; 297; 1278;
1336; 1342a, c; 1377b; 1379; 1381; 1434; 1439; 1499; 1558b;
1586; 1589.

(a) Before 1945

626. Alexandrescu, I. Gr. Studii asupra obiceiurilor juridice ale
poporului român (Studies on the Legal Customs of the Romanian
People). Galați, 1896.

627. Atonescu, Mihai. In serviciul justiției românești. Patru luni
de activitate la ministerul justiției. Reforma justiției românești
(In the Service of Romanian Justice). Buc., 1941. 508 p. (DLC)

628. Barnuțiu, Simeone. (a) Dreptulu naturale privatu (Private
Natural Law). Iași, 1868. 300 p. (DLC); (b) Dreptulu naturale
publicu (Public Natural Law). Iași, 1870.

629. Botez, Corneliu. Dreptul și societatea (Law and Society).
Buc. (?), 1897.

630. Cerban, Alexandru. Studii de drept (Legal Studies). Buc.,
1904. 219 p. (DLC)

631. Constantinescu, Iancu. Justitia fundamentum regnorum.
Craiova (?), 1934. 164 p.

632. Coroi, Const. C. Evoluția dreptului privat (Evolution of Pri-
vate Law). Iași, 1912. 200 p.

633. Cristoforeanu, E. Reforma legislativă și mijloacele de realizare
(Legislative Reform and the Means for Bringing It About). Buc.,
1928.

633.1. Danielopolo, Gheorghe. Fragmente juridice (Legal com-
mentaries). Buc. (?), 1895–1897. 2 v.

634. Degré, Alexandru. Scrieri juridice (Legal Studies). Buc., 1900–
1902. 4 v. (DLC)

635. Dichter, Lupu. Noțiunea de drept (Concept of Law). Buc.,
1912. 168 p.

636. Dimitrescu, Gh. D. Studii juridice (Legal Studies). Buc., 1942.
3 v.

637. Dimitrescu, P. Studiu comparativ de drept penal prusian și
român (Comparative Study of Prussian and Romanian Criminal
Law). Focșani, 1914.

638. Dissescu, Constantin G. Ce este enciclopedia dreptului? (What Is Encyclopedic Study of Law?). Buc., 1915. 88 p.

639. Djuvara, Mircea. (a) Contribuție la teoria cunoașterii juridice (Contribution to the Theory of Legal Science). Buc., 1942. 76 p.; (b) Drept rațional, isvoare și drept pozitiv (Natural Law, Sources and Positive Law). Paris, 1933. 140 p. (DLC); (c) Teoria generală a dreptului (General Theory of Law). Buc., 1930. 3 v. (DLC)

640. Docan, G. P. (a) Minoritatea (Minors [in Hungarian and Romanian Law]). Oradea Mare, 1924 (?). 200 p.; (b) Interdependența legilor provinciale și de unificare (Interdependence of Provincial and Unification Laws). Buc., 1943. 96 p.

640.1. Enciclopedia României [Regele Carol al II-lea] (Romanian Encyclopedia [King Carol II]). Buc., 1938–1943. 4 v. (DLC)

641. Erbiceanu, Vespasian. Tendințele noi în drept. Studii de drept civil și penal (New Tendencies in Law. Study on Civil and Criminal Law). Iași, 1906. 574 p.

642. Georgescu, Vasile V. Obiect și metodă în interpretarea dreptului (Purpose and Method in Legal Interpretation). *Pandectele române* (Buc.), pt. IV, 1939: 41–47. (DLC)

643. Georgian, Dumitru Gr. Formularul judiciar general (Book of Legal Form). 4th ed. Buc., 1923 (?). 202 p.

644. Ghibănescu, Gh. Surete și izvoade (Documents and Manuscripts). Iași, 1906–1915. 10 v.

645. Holoney, Lucian. Principiile fundamentale de guvernământ parlamentar (Principles of Parliamentary Government). Buc., 1906. 108 p.

646. Ionașcu, Aurelian R. Problema unificării legislației civile în cugetarea juridică românească (Problem of Legislative Unification in Romanian Legal Thinking). *Pandectele române* (Buc.), pt. IV, 1942: 146–156. (DLC)

647. Lahovary, Grigore I. (a) Ce este dreptatea? (What Is Justice?). Buc., 1901; (b) Despre obiceiul pământului (Legal Customs). Buc., 1892; (c) Psihologia criminală (Criminal Psychology). Buc., 1888.

648. Longinescu, Ștefan. Pregătire pentru învățătura dreptului (Preparation for Learning Law). Buc., 1927. 164 p.

649. Maxim, Dimitrie G. Considerațiuni critice asupra sistemului

privitor la probe. Comisiuni rogatorii (Study of Legal Evidence. Letters Rogatory). Iași, 1899. 240 p.

650. Mironescu, G. G. (a) Curs de enciclopedia dreptului (Introductory Course for the Study of Law). Buc., 1939; (b) Orientări în filosofia dreptului (Orientation in the Philosophy of Law). Buc., 1938.

651. Nastase, G. Teoria funcțiunii (Theory of [Public] Service). Buc., 1942. 164 p.

652. Negreanu, I. Studii juridice (Legal Studies). Buc. (?), 1930. ca. 250 p.

653. Negulescu, Demetru. Arta de a judeca (The Art of Judging). Buc., 1912.

654. Pașcanu, Mihail. Două încercări în studiul dreptului (Two Essays on Legal Study). Buc., 1908.

655. Penculescu, Gheorghe, *joint author*. Principii de drept (Principles of Law). Buc., 1959. 980 p. (DLC)

656. Petrescu-Comnen, N. Studiu asupra intervențiunei statului între capital și muncă (Government, Capital and Labor). Buc., 1910.

657. Plastara, George. (a) Enciclopedia juridică (Introduction to the Study of Law). Buc., 1910; (b) Principii de drept interprovincial (Principles of the Interprovincial Conflict of Law). Buc., 1923.

658. Popescu, C. A. Pentru adevăr și cinste (Truth and Reputation). Buc., 1906. 301 p.

659. Portocală, Radu. Alexandru Djuvara—semănătorul teoriei funcțiunii sociale a proprietății (Alexandru Djuvara—Originator of the Theory of Ownership as a Social Function). Buc., 1943. 168 p.

660. Rădoi, Ioan. Manualul sau căleusa cetățeanului în materie judiciară (Manual or Citizen's Guide on Legal Matters). Buc., 1882. 874 p.; 2d ed. 1900. 1447 p. (DLC); 3d ed. 1925. 2 v.

661. Rădulescu, A. Unificarea legislativă. Comunicare făcută la Academia Română (Unification of Laws. Address at the Romanian Academy). Buc., 1927.

662. Rarincescu, C. Decrete legi și dreptul de necesitate (Decree Laws During an Emergency). Buc., 1924. 200 p.

663. Sinescu, I. P. Jurisprudența. Studii juridice (Case Law. Legal Studies). Craiova, 1909. 348 p.

664. Speranția, Eugen. Definiția dreptului (The Definition of Law). Cluj, 1939. 53 p.

665. Vǎllimarescu, Alexandru. (a) Pragmatismul juridic. Studiu de filozofie a dreptului (Legal Pragmatism. A Study on the Philosophy of Law). Buc., 1927. 48 p.; (b) Tratat de enciclopedia dreptului (Treatise on Introduction to Studies of Law). Buc., 1932.

666. Vasilescu, P. Stabilirea dreptului în succesiunea legilor (Continuity of Laws). Iași, 1932.

(b) After 1945

667. Bogdan, Tiberiu. Curs introductiv în psihologia judiciară (Course in Forensic Psychology). Buc., 1957. 645 p. (DLC)

668. Ceterchi, Ioan. Curs de teoria generală a statului și dreptului (Course in General Theory of Law). Buc., 1957. 2 v.

669. Cincisprezece ani de dezvoltare revoluționară a dreptului democrat popular (15 Years of Revolutionary Development of Democratic Law). *Studii și cercetări juridice* (Buc.), v. 4, No. 1, 1951: 9–31. (DLC)

670. Fodor, Inna. Despre rolul practicii judiciare în formarea și desvoltarea dreptului nostru democrat popular (Role of Judicial Practice in the Formation and Development of Our Socialist Democratic Law). *In* No. 681: 59–75. (DLC)

671. Hanga, Vladimir. Istoria statului și dreptului R. P. R. (History of State and Law in the R. P. R.). 3d ed. Buc., 1957. 713 p. (DLC)

672. Ionașcu, Traian. Egalitatea sexelor în R. P. R. sub diverse aspecte ale vieții sociale (Legal Equality of the Sexes in the R. P. R. Regarding Certain Aspects of Social Life). *In* No. 681: 117–145.

673. Manolescu, N. Lupta pentru întărirea conștiinței juridice sociale (Fighting for a Stronger Social Legal Conscience). *Arbitrajul de stat* (Buc.), v. 5, No. 2, 1959: 18–33. (DLC)

674. Noțiuni de drept (Concepts of Law). Buc., 1955. 255 p.

675. Onescu, Marcu, *joint author*. Bazele statului și dreptului R. P. R. (Principles of State and Law in the R. P. R.). Buc., 1956. 459 p.

676. Panaitesco, O. *and* D. Dimitriu-Paușești. Rolul organelor de

urmărire penală în apărarea ordinei de drept (Role of Prosecutors in Defence of Legal Order). *Justiția nouă* (Buc.), v. 15, No. 4, 1959: 705–719.

677. Principii de drept (Principles of Law). Buc., Ministry of Justice, 1959. 980 p. (DLC)

678. Prisca, N. Cursul, bazele statului și dreptului R. P. R. (Course in Principles of State and Law in the R. P. R.). Buc., 1955. 345 p.

679. Schreiber, A. Curs de teoria statului și dreptului (Course in the Theory of State and Law). Buc., 1957. 256 p.

680. Pop, Simion. Revizionismul apărător al capitalismului monopolist de stat și al statului burghez contemporan (The Reviewing Action as Defender of the Capitalistic Monopolistic State and the Contemporary Bourgeoisie). *Justiția nouă* (Buc.), No. 6, 1958: 980–999. (DLC)

681. Studii juridice (Legal Studies). Buc., Academia R. P. R. institutul de cercetări juridice, 1960. 587 p. (DLC)

682. Vlad, C. I. Invățătura Marxist-Leninistă despre stat (Marxist-Leninist Principles of the State). Buc., 1957. 80 p.

B. Special Topics

II. Administrative Courts and Procedure

See also Nos.: 1281; 1308; 1387; 1407; 1419a; 1423; 1443; 1447a, b; 1452; 1459; 1545.

683. Alexandrescu-Roman, P. Jurisdicțiile speciale administrative (Special Administrative Jurisdictions). *Revista de drept public* (Buc.), No. 3–4. 1935.

684. Alexianu, G. Contenciosul daunelor (jurisprudența) (Damages in Administrative Courts). *Pandectele săptămânale* (Buc.), No. 16, 1932.

685. Angelesco, C. Jurisdicțiile administrative față de Art. 107 din Constituție (Administrative Jurisdictions and Sec. 107 of the Constitution). *Revista de drept public* (Buc.), No. 3, 1937.

686. Benișache, Remus C. Contenciosul administrativ (Administrative Tribunals). Buc., 1940.

687. Botez, Cornel. Arbitrajul administrativ și legalitatea (Admin-

istrative Arbitrariness versus Legality). *Revista de drept public* (Buc.), 1926: 547–567. (DLC)

688. Hamangiu, C., Richard Hutschneker *and* George Iuliu. Recursul în casare și contenciosul administrativ (Appeal to the Supreme Court and Review of Administrative Acts in Administrative Courts). Buc., 1910. 1200 p. (DLC)

689. Iorgulescu, M. Contenciosul actelor administrative de autoritate (Review of Administrative Acts by Administrative Courts). Buc., 1928. 236 p.

690. Negulescu, Paul. Suspendarea actelor administrative în fața instanțelor de contencios administrtiv (Suspension of Administrative Acts During Trials in Administrative Courts). *Revista de drept public* (Buc.), Jan.-June 1937: 144–161.

691. Petrescu, M. Curțile administrative (Administrative Tribunals). Buc. (?), 1937.

692. Polizu-Micșunești, Dim. V. Contenciosul administrativ (Administrative Courts). Buc., 1905.

693. Rarincescu, Const. (a) Contenciosul administrativ român (Romanian Administrative Tribunals). Buc., 1937. 462 p.; (b) Contenciosul administrativ (Administrative Courts). *Revista de drept public* (Buc.), 1926: 46–75, 203–252, 597–662. (DLC); 1931: 103 ff.

694. Tarangul, Erast Diti. Acțiunea împotriva refuzului administrației de a rezolva o cerere privitoare la un drept (Action against the Refusal of the Administration to Answer a Petition Seeking to Protect a Right). Cluj, 1947. 48 p.

695. Tunescu, C., *editor*. Legea contenciosului administrativ din 23 Decembrie 1925, adnotată (Law on Administrative Tribunals of December 23, 1925, Annotated). Buc., 1926.

696. Vântu, I. G. Comitetele de revizuire (Revision Committees). *Revista de drept public* (Buc.), 1932: 116–128. (DLC)

697. Văraru, M. Justiția administrativă română. Contenciosul de anulare și reformare (Romanian Administrative Justice. Administrative Tribunals for Annulment and Reformation). Cernăuți (?), 1933.

698. Vermeulen, J. Reorganizarea contenciosului administrativ român (Reorganization of Romanian Administrative Tribunals). Buc., 1924.

12. Agriculture and Land Reforms

See also the Special Topics: Cooperatives; Revalorization
and Nos.: 1182; 1335; 1366; 1383b; 1395.1; 1432.1; 1449;
1478; 1519; 1530a; 1541; 1560; 1574; 1577.

699. Acte şi legiuiri privitoare la chestia ţărănească (Acts and Laws
Regarding the Peasants). Buc., 1907–[1908]. 12 v. (DLC)

700. Albu, Ion. (a) Curs de drept funciar (Course in Agrarian
Law). Buc., 1957. 504 p.; (b) Raporturile funciare şi problema
reglementării lor de către o ramură de drept distinctă (Legal
Land Relations and Their Regulation by a Separate Branch of
Law). *Justiţia nouă* (Buc.), 1956: 623–648. (DLC)

701. Antonescu, V. M. Regimul agrar român şi chestiunea optan-
tilor (Romanian Agrarian Legal Order and the Problem of
Option of Citizenship). Buc., 1928. 288 p.

702. Bălcescu, Nicolae. Despre împroprietărirea ţăranilor (Grant-
ing of Private Land to Peasants). Buc., 1953.

703. Bibicescu, I. G. In chestiunea agrară (The Agrarian Question).
Buc., 1907. 137 p.

704. Borş, Alexandru I. Legi rurale (Rural Laws). Buc., 1907 (?).

705. Brădeanu, Salvator. Către o nouă legislaţie funciară (Contri-
butions to a New Agricultural Legislation). Buc., 1938. 274 p.

706. Christian, I., *joint author.* Problemele juridice privind agri-
cultura (Legal Problems in Agriculture). Buc., 1959.

706.1. Cipăianu, G. Legislaţia agrară (Agrarian Legislation). *In*
No. 640.1, v. 3, 1938: 89–94.

707. Creangă, Gr. Proprietatea rurală în România (Rural Property
in Romania). Buc., 1907. 150 p.

708. Cutcutache, Const. D. Optanţii unguri ai Transilvaniei şi
reforma agrară din România (Option for Citizenship of Hun-
garians in Transylvania, and the Agrarian Reform in Romania).
Preface by N. Titulescu. Buc., 1931.

709. Dimiu, Radu. Legile rurale şi disposiţiuni din legile compli-
mentare, adnotate (Rural Laws Annotated). Buc., 1929. 210 p.

710. Dobrogeanu-Gherea, Constantin. Neoiobagia; studiu econo-
mico-sociologic al problemei noastre agrare (New Slavery: A
Study of Our Agrarian Problem). Buc., n.d. 498 p. (DLC)

711. Feneşan, O. S. A. Desvoltarea agriculturii în R. P. R. (Agriculture in the R. P. R.), Buc., 1958. 226 p. (DLC)

711.1. Filipescu, Nicolae. Cestiunea ţărănească (The Status of Peasants). Buc. (?), 1891.

712. Garoflid, Const. Chestia agrară în România (The Agrarian Question in Romania). Buc., 1920.

713. Georgean, N. Instrăinarea loturilor dobândite prin improprietărire (Alienation of Land Allotments Made by the Government. An Annotated Court Decision). Pandectele române (Buc.), pt. III, 1925: 69–70. (DLC)

714. Goruneanu, Octav L. Regimul circulaţiei pământurilor rurale (Regimentation of the Sale of Rural Land). Constanţa, 1932. 244 p.

715. Haret, Spiru. Chestia ţărănească (The Status of Peasants). Buc., 1905.

716. Iliescu, Theodor. Regulamentul hotărniciilor adnotat (Regulation on Surveying of Land, Annotated). Buc., 1903.

717. Ionescu-Siseşti, G. (a) Repartiţia proprietăţilor agricole şi a impozitelor în perioada 1923–26 (Distribution of Agricultural Land During the Period 1923–1926). Buc., 1927. Published also in French; (b) Reforma agrară şi producţia (Agrarian Reform and Production). Buc., 1925.

718. Ionaşcu, Traian. Sistemul contractărilor de produse agricole în R. P. R. (System of Contracts for Agricultural Products in the R. P. R.). Buc., 1959.

719. Kogălniceanu, Vasile M. Chestiunea ţărănească (The Peasant Status). Buc., 1906.

720. Legea rurală cu proclamaţiunea Măriei Sale Domnitorului Principatelor-Unite Române (Rural Law and Proclamation of the Prince of the United Romanian Principalities). Buc., 1864. 23 p. (DLC)

721. Legislaţia gospodăriilor agricole colective şi a întovărăşirilor agricole (Legislation on Collective Farms and Peasant Household Associations). Buc., 1956. 559 p.; 2d ed. 1957. 516 p. (DLC)

722. Missir, B. M. Legile de expropriere a moşiilor şi sistemele lor (din vechiul Regat al României) (Laws of Expropriation and Their System [in the Old Kingdom]). Dreptul (Buc.), 1924: 129–131, 137–141.

723. Murgescu, Costin. Reforma agrară din 1945 (Agrarian Reform in 1945). Buc., 1956. 270 p.

724. Nastase, G. *and* N. Rodeanu. Legea și regulmentul pentru înfăptuirea reformei agrare (Law on Agrarian Reform). Buc., 1945. 62 p.

725. Paraschivescu, Mircea *and* Ioanichie Capmare. Legea circulațiunii bunurilor rurale (Law on the Sale of Rural Property). Bolgrad, 1933.

726. Regulamentul legii pentru organizarea, administrarea și exploatarea pășunilor (Regulation Implementing the Law on the Organization and Use of Pasturage). Buc., 1928.

727. Roman, Ioan N. Studiu asupra proprietăței rurale din Dobrogea (Study on Rural Properties in Dobrudja). Constanța, 1907.

728. Rosetti, Radu. Acte și legiuiri privitoare la chestia țărănească (Acts and Laws Regarding the Status of the Peasants). Buc., 1907. (DLC)

729. Stoeanovici, Const. A. *and* Eugen A. Barash. Dreptul comun și legile agrare (General Law and Agrarian Laws). *Pandectele române* (Buc.), pt. IV, 1903: 108–118. (DLC)

730. Sturdza, Dimitrie A. Memoriu asupra legilor agrare din România (Report on the Agrarian Laws of Romania). Buc., 1914.

731. Sturdza-Scheeanu. Acte și legiuri privitoare la chestia țăranească (Acts and Laws Regarding the Status of the Peasants). Buc., 1907. 2 v. (DLC)

731.1. Veniamin, Virgil. Drept fonciar comparat (Comparative Land Property Law). Buc., 1933. 260 p.

732. Zotta, Const., *editor*. Codul agrar adnotat al României (Code of Agrarian Laws, Annotated). Buc. (?), 1930.

13. Aliens

See also Nos.: 1047.1; 1474b; 1543d.

733. Cerchez, Gh. M. Condițiunea juridică a străinilor în România (Legal Status of Aliens in Romania). Iași, 1886. 118 p.

734. Dissescu, Const. C. Dacă persònele morale străine au de drept ființă în România (Foreign Corporations in Romania). Buc., 1895.

735. Meitani, George. Străinii în fața tribunalelor (Aliens in Courts). Buc., 1908. 164 p.

736. Missir, Petru Th. Dreptul de succesiune al străinilor la imobilele rurale în România (Aliens' Right of Succession to Estates in Romania). Iași, 1886. 130 p.

737. Petrescu, G. P. Studii asupra persònelor civile, juridice sau morale și asupra drepurilor străinilor în România (Study on Persons, Corporations and the Rights of Foreigners in Romania). Buc., 1895.

738. Popescu, Petre. Condițiunea juridică a streinilor în România (Legal Status of Aliens in Romania). Buc., 1900. 108 p.

739. Sărățeanu, Constantin D. Cetățeni și străini. Discurs de deschidere pe anul judecatoresc 1899–1900, urmat de răspunsul d-lui Gr. Lahovari (Citizenship and Aliens. Speech at the Opening of the Judicial Year 1899–1900). Buc., 1899. 47 p. (DLC)

740. Statutul evreilor din România (Legal Status of Jews in Romania). Buc., 1941. 192 p. (DLC)

14. Arbitration, Governmental

See also No.: 371.

741. Constantinescu, Ioan. Arbitrajul de sat și rolul lui în economia națională a R. P. R. (Government Arbitration and Its Role in the National Economy of the R. P. R.). Buc., 1958. 123 p. (DLC)

742. Culegere de instrucțiuni date de primul arbitru de stat 1952–1957. (Collection of Directives Issued by the Chief Government Arbitrator, 1952–1957). Buc., 1958. 272 p. (DLC)

742.1. Florescu, D. and D. Popescu. Arbitrajul de stat și procesul arbitral în R. P. R. (State Arbitration and Procedure in the R. P. R.). Buc., 1960. 455 p. (DLC)

743. Nestor, Ion. Arbitrajul în comerțul exterior al R. P. R. (Arbitration in Foreign Trade of the R. P. R.). Buc., 1957. 220 p. (DLC)

744. Rosetti Bălănescu, I., A. Velescu and S. Zilberstein. Natura juridică a organelor arbitrajului de stat (Legal Position of Government Arbitration Agencies). In No. 681: 293–348.

15. Attorneys and Judges

See also Nos.: 426; 1262; 1398.

744.1. Anuarul magistraturii (Yearbook on the Judiciary). Buc., Ministry of Justice, 189 (?)— (?) (DLC 1911, 1923, 1927, 1929)

745. Basilescu, Nicolae. Contra advocaţilor (Against Lawyers). *România jună* (Buc.), Feb. 7, 1900.

746. Demetrescu, George Mil. Istoria baroului de Dolj 1864–1928 (History of the Dolj Bar). Craiova, 1928. 593 p.

747. Georgescu, Valentin Al. Raporturile juridice dintre advocat şi client (Professional Relationship Between Lawyer and Client). *Pandectele române* (Buc.), pt. IV, 1935: 113–121. (DLC)

748. Georgian, Demetru Gr. Lege pentru organizarea corpului de avocaţi, comentată (Law on the Organization of the Bar, Annotated). Buc., 1923.

749. Ghica, Ioan G. Vade-mecum al avocatului (Lawyer's Manual). Buc. (?), 1888.

750. Gruia, I. V. Baroul românesc (The Romanian Bar). *In* No. 640.1., v. 1, 1938: 348–360. (DLC)

751. Haşdeu, Bogdan Petriceicu. Răspunsul meu advocatului d-lui T. Maiorescu (My Answer to Mr. T. Maiorescu's Lawyer). *Columna lui Traian* (Buc.), No. 3, 1875.

752. Lascarov-Moldovanu, Al. Codul profesional al avocatului (Code of Professional Ethics of Attorneys). Buc., 1932.

753. Margineanu, I. M. Advocatul de eri şi de azi (The Lawyer of Yesterday and of Today). Buc., 1934.

754. Nedelcu, George D. Procurile, adeverirea actelor şi legea timbrului (Power of Attorney, Certification and the Stamp Law). Buc., 1911. 56 p. (DLC)

755. Nemetescu, George P. Cariera de avocat (Attorney's Profession). Buc., 1932.

756. Nicolau, Anghel. Despre profesiunea de avocat (Attorney's Profession). Buc. (?), 1902.

757. Pascu, Dim. Th. Cum profesăm (The Legal Profession). Buc., 1931. 16 p.

758. Popescu, Tudor R. Călăuza juristului. Indreptar pentru avocaţi şi jurisconsulţi (Guide for Jurists). Buc., 1956. 354 p. (DLC)

759. Profiriu, Ioan Gh. Magistrat și avocat (Judge and Lawyer). Buc. (?), 1915. 165 p.

760. Stanetti, Fr. Fresca justiției contemporane române (Contemporary Romanian Justice). Buc., n.d. 568 p. (DLC)

761. Tabloul magistraților [din România]. (A List of Judges [in Romania]). Buc., 1940. 128 p. (DLC)

16. Banking

See also Nos.: 830; 863; 1006; 1316; 1382; 1531a.

762. Chemale, Anton. Reglementarea comerțului bancar. Observațiuni critice asupra legilor bancare (The Banking Business). *Revista de drept comercial și studii economice* (Buc.), 1934: 163–177. (DLC)

763. Cristoforeanu, E. Legea contra cametei adnotată (Law Against Unlawful Interest Annotated). Buc., 1931.

764. Demetrescu, Paul I. Comerțul de bancă (The Banking Business). *Pandectele române* (Buc.), pt. IV, 1935; 145–167. (DLC)

765. Gălășescu-Pyk, D. Contractul de deschidere de credit. Studiu de drept comparat (Comparative Legal Study of Contract to Extend Credit). Buc., 1929. 175 p. (DLC)

766. Preuțescu, Laurențiu, *joint editor*. *Legea* bancară din 8 Mai 1934 comentată și adnotată (The Banking Law of May 8, 1934, Annotated). Buc., 1934. 288 p.

767. Slăvescu, Victor. Tratat de bancă (Treatise on Banking). Buc., 1932.

768. Sturdza, Dimitrie. (a) Banca Națională și reforma monetară (National Bank of Romania and Monetary Reform). Buc., 1889; (b) Discuția legii Băncii Naționale. Discurs (Statements Regarding the Law on the Romanian National Bank. A Speech). Buc., 1890.

17. Bankruptcy

See also Nos.: 236; 483c; 484; 1305; 1355; 1528a, c.

769. Antonescu, Eftimie. Falimentul. Partea II (Art. 768–833 C. Com. V. R.). Lichidarea activului și pasivului. Inchiderea procedurei falimentare. (Bankruptcy. Part II [Sec. 768–833 of the Old Kingdom's Commercial Code]). Buc., 1931. 536 p.

770. Demetrescu *and* M. (?) Barash. Legea asupra concordatului preventiv (Law on Composition to Prevent Bankruptcy). Buc., 1929.

771. Ionescu, Constant. Lege asupra concordatului preventiv (Law on Composition to Prevent Bankruptcy). Buc., 1929.

772. Ionescu, Petre N. Judecătorul sindic. Atribuțiunile judecătorului sindic în administrația falimentului (The Special Judge in Bankruptcy. Proceedings and His Powers in the Administration of Bankruptcy). Buc., 1931. 80 p.

773. Ionescu, Stelian. Noua lege asupra concordatului preventiv (New Law on Composition to Prevent Bankruptcy). Buc., 1930.

774. Lege pentru modificarea cărței a III-a din codul de comerciu despre falimente și punerea în concordanță a unor articole din cartea a IV-a a acestui cod (Law Modifying Book III and Certain Sections of Book IV of the Commercial Code on Bankruptcy). Buc., 1902. 59 p. (DLC)

775. Maxim, Dimitrie G. Causele îmulțirei falimentelor în România (Causes of the Increasing Number of Bankruptcies in Romania). Buc., 1893.

776. Pallade, George T., *editor.* Codul falimentelor adnotat (The Bankruptcy Code Annotated). Iași, 1912.

777. Pașcanu, Mihail. Dreptul falimentar român (The Romanian Bankruptcy Law). Buc., 1927.

778. Periețeanu, I. Gr. *and* C. Bălescu. Noua lege a concordatului preventiv din Octombrie 1932 (A New Law of October 1932 on Composition to Prevent Bankruptcy). Buc., 1932.

779. Tanoviceanu, I. Or închisoare pentru datorii, or faliment pentru civili (Bankruptcy for Civil Debts). Buc., 1903. 51 p.

780. Toneanu, C. N. Falimentele (Bankruptcy). Galați, 1919 (?).

18. **Church and Religion, Canon Law**

See also Nos.: 924; 1373; 1380; 1555a.

781. Biserica noastră și cultele minoritare (Our Church and Minority Sects). Introduction by N. Russu Ardeleanu. Buc., n.d. 439 p. (DLC)

782. Gheorghiu, G. P. Drept canonic (Canon Law). Buc., 1943 (?). 15 p.

783. Cronţ, Gh. Iconomia în dreptul bisericesc ortodox (Management [of Property] in Orthodox Church Law). Buc., 1937.

784. Mateiu, Ion. Contribuţii la istoria dreptului bisericesc (Contributions to the History of the Church Law). Buc., 1922– (?). (DLC)

785. Milaş, Nicodem. Dreptul bisericesc oriental. Traducere după ed. II-a germană de Dim. I. Cornilescu şi Vasile S. Radu, revăzută de I. Mihălcescu (Law of the Eastern Christian Church. Translation from the German edition). Buc., 1915. 605 p. (DLC)

786. Nădejde, I. Dreptul de ctitorie al femilor coborâtoare din ctitori şi al descendenţilor prin femei (Rights of Female Descendants of Founders of a Church and of Their Descendants in the Female Line). Buc., 1910.

787. Puşcariu, Ioan (Cavaler). (a) Proiect de regulament pentru afacerile consistoriului metropolitan (Draft for Regulations on Metropolitan Consistory). Sibiu, 1882; (b) Un comentar la statutul organic bisericesc (A Comment on the Legal Status of the Church). Braşov, 1899.

787.1. Şaguna, Andrei. (a) Compendiu de drept canonic (Main Principles of the Canon Law). (?), 1868; (b) Elementele dreptului canonic (Elements of the Canon Law). (?), 1854.

787.2. Scriban, Neofit. Nelegalitatea proiectului pentru alegerea mitropoliţilor şi episcopilor (Illegality of the Draft on the Election of Bishops). Iaşi (?), 1861.

788. Theodorian, Marin. Dreptul canonic oriental (Eastern Canon Law). Buc., 1905. 3 v.

19. Civil Service

See also Nos.: 560; 1075,1; 1274; 1279; 1415.

789. Alexianu, G. (a) Statutul funcţionarilor publici (Civil Service Status). 2nd ed. Buc., 1936 (?). 170 p.; (b) Statutul funcţionarilor publici (Civil Service Status). Revista de drept public (Buc.), 1926: 663–701. (DLC)

790. Dimiu, Radu. Lege pentru statutul funcţionarilor publici (Law on Civil Service Status). Buc., 1923. 184 p.

791. Dragomir, Nicolae Gh. Drepturile funcţionarilor publici în stat (Rights of Civil Servants). Buc. (?), 1936.

792. Flitan, C. Răspunderea disciplinară a angajaților (Disciplinary Responsibility of Employees). Buc., 1959 (in the press). 168 p.

793. Gruia, Ion V. Orientări noi în organizarea serviciilor publice (New Views on the Organization of Government Offices). *Revista de drept public* (Buc.), 1927: 665–685. (DLC)

794. Năstase, Gh. M. Stabilitate și nestabilitate în materie de funcțiune publică (Permanent and Temporary Appointment of Government Employees). Buc. (?), 1947. 84 p.

795. Strihan, Petre. Datoriile funcționarului public în morală și în drept (Legal and Moral Duties of a Government Employee). Buc., 1943. 14 p.

796. Vermeulen, Jean. Statutul funcționarilor publici (Civil Service Status). Buc., 1933. 575 p.

20. Contracts and Torts

See also Civil Law and Nos.: 356; 527; 765; 1345; 1378; 1431; 1432; 1436c; 1475; 1543a-c.

797. Alexandresco, Dimitrie. Despre dreptul de retențiune și unele din numeroasele lacune ale codului civil (Right of Retention and Deficiencies of the Civil Code). Buc., 1899. 29 p.

798. Alexandrescu, Traian. Gajurile civile și comerciale (Civil and Commercial Guarantees). Buc., 1937.

798. 1. Alexandrini, Alex. Acțiunea în responsabilitate contra administratorilor (Action in Tort Against Administrators of Stock Companies). *Pandectele române* (Buc.), pt. 1, 1942: 55–69. (DLC)

799. Antonescu, Emanuel N. Teoria generală a obligațiunilor (General Theory of Obligations). Buc., 1908.

799. 1. Arion, Constantin C. Despre prejudicii (Damages). Buc. (?), 1886.

800. Barasch, Eugen A. Rolul contractului în raporturile dintre organizațiile socialiste (hozrasciot și contract) (Role of the Contract between Socialist Organizations). *In* No. 681: 147–182. (DLC)

800. 1. Bibicescu, Ioan. Embaticul (The Emphyteusis). Buc. (?), 1881.

801. Brăileanu, Const. Convențiunile României cu statele străine privitoare la comerciu și mărci de fabrică. Tarifa generală a

drepturilor de vamă și taxa de ½% (Commercial Foreign Agree-ments. Customs Duties and Taxation). Buc., 1898. 282 p. (DLC)

802. Broșteanu, Constantin. Despre nulitatea actelor de vânzare a pământurilor rurale întemeiate între Statul Român și locuitorii din Dobrogea (Nullity of Contracts Regarding the Transfer of Lands between the Romanian Government and the People of Dobrudja). Buc. (?), 1895.

803. Buia, Vasile N. Stipulațiunea pentru altul (Stipulation for Another). Buc., 1936.

804. Constantinescu, Jak N. Despre obligațiuni (A Study on Obli-gations). Buc., 1932.

805. Constantinescu, M. G. Contractele judiciare (A Study on Con-tracts). Buc., 1939.

806. Cerban, George. Vânzarea în cont în urmăririle individuale de drept comun (Execution Sale for Debts under Ordinary Legis-lation). Buc., 1940 (?).

807. Corodeanu, Nicolae. Transportul obligațiunilor (Obligations). Buc. (?), 1913.

808. Coroi, Const. C. Daunele interese cominatorii (Penal Clauses [in Contracts]). Iași, 1912.

808.1. Cosmovici, Paul. Contribuții la studiul culpei civile cu specială privire asupra culpei în contractele economice (A Study on Negligence in Economic Contracts). Buc., 1960. 211 p.

809. Cristoforeanu, E. (a) Contractul de transport (Shipping Con-tracts). Buc., 1925–1927. 2 v.; 1930. 3 v.; (b) Despre responsabili-tatea ce derivă din ruperea nejustificată a tratativelor contractuale (Damages for Failure to Fulfill a Contract). Buc., 1926. 51 p.; (c) Incheerea contractelor comerciale (Commercial Contracts). Buc., 1928. 171 p.

810. Demetrescu, Paul I. Obligațiunile comerciale (Commercial Obligations). *Pandectele române* (Buc.), pt. IV, 1946: 37–58. (DLC)

811. Docan, George P. Codul comparat al obligațiunilor (Com-parative Code of Obligations). Buc., 1938 (?).

812. Efstatiade, D. N. Litigiu de muncă. Termenul de emitere a dispoziției de reținere (Labor Dispute. Right of Retention for Damages). *Justiția nouă* (Buc.), No. 9, 1962: 138–140.

813. Elian, Gh. Persoana vatamată în procesul civil (Aggrieved Party in Civil Trial). Buc., 1961. 243 p.

814. Eliescu, M. Sistemul şi limitele responsabilităţii civile, în dreptul aerian naţional şi internaţional (Civil Responsibility in National and International Air Law). *Studii şi cercetări juridice* (Buc.), v. 4, No. 2, 1959: 301–337. (DLC)

815. Gerota, D. D. (a) Societăţile anonime simulate (Simulated Corporations). *Pandectele române* (Buc.), pt. IV, 1932: 102–113 (DLC); (b) Teoria generală a obligaţiunilor comerciale în raport cu tehnica obligaţiunilor civile (Commercial and Civil Law Obligations). Buc., 1933.

816. Ghimpa, N. D. (a) Isvoarele obligaţiunilor (Sources of Obligations). Buc., 1947. 970 p.; (b) Responsabilitatea civilă a funcţionarilor publici (Civil Responsibility of Government Employees). Piteşti, 1929. 84 p.

817. Ionaşcu, Traian R. Sancţiunea obligaţiunilor ilicite şi imorale (Penalties for Illicit and Immoral Obligations). Iaşi (?), 1923 (?). 200 p.

818. Ionescu, Petru. Despre moratoriu (Moratorium). Buc., 1928.

819. Miller, L. Prejudiciul, ca element necesar al răspunderii materiale a angajaţilor (Damages, an Essential Element of Liability of Employees). *Studii şi cercetări juridice* (Buc.), v. 4, No. 2, 1959: 339–382.

820. Minculescu, Alexandru. Precariul în dreptul român (Bailment in Romanian Law). Buc., 1935 (?). 214 p.

821. Niculae, I. Radu. Contractul de întreţinere în dreptul românesc (Contract of Maintenance in Romanian Law). Buc., 1947. 70 p.

822. Oteteleşanu, Alexandru. (a) Studiu asupra cazului fortuit sau forţei majore şi teoria impreviziunei (A Study on Acts of God). Buc., 1929. 204 p.; (b) Studiu critic asupra proectului de lege, întitulat, codul obligaţiilor şi contractelor (A Study on the Draft of the Code of Obligations and Contracts). Buc., 1931. 246 p.

822. 1. Perieţeanu, I. Gr. Responsabilitatea medicilor. Adnotare (Responsibility of Physicians. A Court Decision Annotated). *Pandectele române* (Buc.), pt. I, 1942: 2–6. (DLC)

823. Peucescu, Gr. C. Tractatul obligaţiunilor (Treatise on Obligations). Buc., 1883 (?). 2 v.

824. Prescurea, Eugen. Tranzacția (Legal Transactions). Târgu–Jiu, 1934. 80 p.

824.1. Rosental, S., Istrate Micescu *and* N. Alexandrescu. Pactul comisoriu express. Adnotare (Resolutive Clause in a Contract of Sale in Case of Nonpayment within a Stipulated Time. Annotation of a Court Decision). *Pandectele române* (Buc.), pt. I, 1924: 69–75. (DLC)

825. Scarlat, Vasile. Promisiunea unilaterală în noul cod civil (Unilateral Promises in the New Civil Code). *Pandectele române* (Buc.), pt. IV, 1940: 123–142. (DLC)

826. Simionescu, Ioan F. Despre responsabilitatea tutorilor și a magistraților (Responsibility of Guardians and Judges). Buc., 1883.

827. Stănescu, Dan N. Responsabilitatea în dreptul aerian (Liability in Air Law). Buc., 1947. 299 p.

828. Tanoviceanu, I. Despre effectulu convențiuniloru în dreptulu roman și român (Effect of Agreements in Roman and Romanian Law). Buc., 1880. 70 p.

828.1. Teodorescu, Anibal. Teoria răspunderii administrațiunii publice pentru daune (Theory of Liability for Damages Caused by Public Administration). Buc., 1929 (?).

829. Teodorescu, Nicolae A. Responsabilitatea civilă în accidentele de automobil (Civil Liability in Automobile Accidents). Buc., 1939. 103 p.

830. Turtureanu, George. Calcularea dobânzilor legale și convenționale (Legal and Stipulated Interests). Buc., 1934.

831. Voiculeț, Pompiliu. (a) Leziunea în contractele dintre majori (Damages in Contracts between Adults). Buc., 1938. 32 p.; (b) Teoria impreviziunei (The Theory of Unforeseeability). Preface by Emanuel Antonescu. Buc., 1935 (?). 130 p.

832. Vrăbiescu, Nicolae G. Dolul în convențiuni (Fraud in Contracts). Buc. (?), 1927.

833. Zeuleanu, Aurel P. Contractul în favoarea terților (Contracting for the Benefit of a Third Party). Craiova (?), 1931. 700 p.

21. Cooperatives

See also Nos.: 1348; 1416; 1531b.

834. Bottea, Emil. Societățile cooperative, din punct de vedere economic și juridic, în principalele țări din Europa și în România (Cooperatives in Europe and Romania). Buc., 1899.

835. Decizii ale comitetului executiv și culegere de norme legale privind munca financiar-contabilă în cooperația de consum (Decisions of the Executive Committee and Selected Standard Output for Accountants in Consumer Cooperatives). Buc., 1956. 260 p.

836. Demetrescu, Paul I. Dreptul cooperatist agricol (Cooperative Law in Agriculture). Buc., 1958. 191 p.

837. Pașcanu, Mihail. Statutul legal al cooperațiunei (Legal Status of Cooperatives). Buc. (?), 1919.

837. 1. Regulamentul privind sarcinile și atribuțiile comitetului executiv al cooperației de consum (Regulations Concerning the Duties of the Executive Committee of the Consumers' Goods Cooperatives). Buc., 1959. 32 p.

837. 2. Stănescu, N. S. Cooperatizarea Agriculturii în R. P. R. (Cooperativization of Agriculture in the R. P. R.). Buc., 1957. 333 p. (DLC)

838. Zamfirescu, C. C. Regimul juridic al societăților cooperative după legea din 1929 (Legal Status of Cooperatives in 1929). Buc., 1932.

22. Copyrights, Patent Law, Trade Marks

See also Nos.: 1222; 1224; 1232; 1247; 1275; 1344; 1365b; 1372; 1421; 1538.

839. Eminescu, Yolanda. Dreptul de inventator (Right of an inventor). Buc., 1959. 395 p. (DLC)

840. Hamangiu, C. (a) Arta și literatura din punct de vedere juridic. Teoria proprietății literare (Art and Literature from the Legal Point of View. The Theory of Copyright). Buc., 1906; (b) Noua lege asupra proprietății literare și artistice (New Law on Copyrights). Buc., 1923 (?). 34 p.

841. Mateescu, A., editor. Lege asupra brevetelor de invențiune și

regulament pentru aplicarea acestei legi (Law on Patents and Regulations for Its Application). Buc., 1929. 36 p. (DLC)

842. Porescu, Florian. Regimul internațional al proprietății industriale în România. Brevete de invențiuni, mărci de fabrică sau de comerț, modele și desene industriale, contrafacere, concurență neleală, etc. (International Regulations for Industrial Property in Romania. Patents, Trade Marks, Models and Industrial Designs, Counterfeit, Unfair Competition, etc.). Preface by Anibal Teodorescu. Buc., 1928. 221 p. (DLC)

842. 1. Racovitză, R. Noțiuni asupra proprietății industriale (Notions on Industrial Property). Buc., 1921.

843. Scondăcescu, Barbu *and* Const. N. Duma. Legea asupra proprietății literare și artistice (Law on Copyrights). Buc., 1934.

844. Scondăcescu, Barbu *and* Dan Popovici. Comentar teoretic și practic al legii asupra mărcilor de fabrică și de comerț (Commentary on the Law on Trade Marks). Buc., 1937. 342 p.

844. 1. Scondăcescu, B. *and* V. Longhin. Legea brevetelor de invențiuni din 1906 adnotată și comentată (Law on Patents of 1906 Annotated [as Amended]). Buc., 1936.

845. Zotta, Const. Gr. C. (a) Proprietatea intelectuală (Intellectual Property). Buc., 1938. 2 v.; (b) Dreptul de autor științific (Copyrights of Authors of Scientific Books). Buc., 1938. 65 p.

23. Corporations

See also Commercial Law and Nos.: 734; 737; 798.1; 1226; 1501a.

846. Anuarul general al societăților anonime pe acțiuni din România (General Yearbook of Romanian Stock Companies). Buc., 1925–1930.

846.1. Bayer, S. *and* M. Constanțiu. Cartea directorului de întreprindere (Log of a Manager of a State Enterprise). 2nd ed. Buc., 1956.

847. Brădeanu, S., *joint author.* Asociațiile simple de țărani (Peasants' Associations). Buc., 1959.

848. Christian, I. Teoria persoanei juridice (Theory of Legal Entities (Corporations)). Buc., 1959.

849. Constantinescu-Strihan, P. Statutul juridic al societăților de

economie mixtă (Status of Mixed Ownership Enterprises). *Revista de drept public* (Buc.), 1927: 252–270. (DLC)

850. Cristoforeanu, E. (a) Introducere la studiul juridic al întreprinderii comerciale (Introduction to the Legal Study of Corporations). *Pandectele române* (Buc.), pt. IV, 1942: 17–27. (DLC); (b) Reprezentanța judiciară a societăților anonime (Legal Representation of Stock Companies). Buc., 1932.

851. Demetrescu, Paul I. Intreprinderile comerciale (Corporations). Buc., 1943. 500 p.

852. Djuvara, Mircea. Noua lege a persoanelor juridice (New Law on Legal Entities). *Dreptul* (Buc.), 1924: 26–30. (DLC)

853. Fior, I. H. Textul și esplicațiunea legei asupra înscrierei firmelor comerciale (Law on the Commercial Registry). Botoșani (?). 1884.

854. Gălășescu-Pyk, D. Acțiunile privilegiate în societățile anonime (Preferred Stock in Corporations). Buc., 1930. 311 p. (DLC)

855. Georgescu, I. L. Intreprinderea agrară în fața dreptului comercial (Agrarian Enterprise in Commercial Law). *Pandectele române* (Buc.), pt. IV, 1944: 25–36. (DLC)

856. Gerota, D. D. Denumirea societăților anonime cuprinzând numele unuia din asociați (Name of Stock Companies Including Family Name of One of the Associates). *Revista de drept comercial și studii economice* (Buc.), 1936: 289–304. (DLC)

857. Giulescu, A. I. Fondurile de amortizare în societățile anonime (Amortization in Stock Companies). Buc., 1933. 188 p.

858. Ionașcu, Traian. Asociațiunile și fondațiunile în dreptul civil român (Nonprofit Corporations and Foundations in Romanian Civil Law). Oradea, 1931. 25 p. (DLC)

859. Ionescu, Stelian. Drepturile acționarilor în contra deciziunilor nelegale ale adunărilor generale (Rights of Stockholders against Illegal Decisions of Annual Meeting of Stockholders). Buc., 1928.

860. Negulescu, Demetru. Principiul capacităței persoanelor morale streine și aplicarea lui la societățile străine din România. (Foreign Corporations). *Dreptul* (Buc.), No. 6, 1901. (DLC)

861. Pușcariu, Emil. Adunările generale ale acționarilor (Annual Meeting of Stockholders). *Pandectele române* (Buc.), pt. IV, 1939: 154–172. (DLC)

862. Trancu, Grigore I. Administrația societăților anonime (Administration of Stock Companies). Iași, 1907. 176 p.
863. Vulturescu, Gr. Despre societățile de credit fonciar (Land Credit Institutions). Buc. (?), 1889/1890. 364 p.

24. Courts, Public Prosecutors and Notaries Public

See also Administrative Courts and Procedure and Nos.: 207a; 244b; 443; 457; 543b; 1414; 1469; 1523; 1587.

863. 1. Bacaloglu, George. Judecătorii de instrucție (Investigating Judges). Buc. (?), 1868.
864. Bǎllan, C. S., *editor*. Hotărâri judecătorești (Court Judgments). Câmpulung, 1923. 128 p.
865. Bǎnescu, Eugen. Inamovibilitatea magistraturii sub raportul constituțional (Stability of the Bench under the Constitution). *Pandectele române* (Buc.), pt. IV, 1933: 1–8. (DLC)
866. Bǎran, D., *editor*. Legea judecătoriilor de ocoale adnotată (Law on Justices of the Peace Annotated). Preface by Eug. Herovanu. Buc., 1937.
867. Botez, Corneliu. Controversele legii pentru judecătoriile de pace (Inconsistencies in the Law on Justices of the Peace). Buc., 1899. 288 p.
868. Consiliile de judecată tovărășească (Comrades' Courts). Buc., 1953. 38 p. (DLC)
869. Cuculi, D. Procedura criminală dinaintea juraților. Memento de ședință al președintelui curței cu jurați (Criminal Procedure for Jury Trials. Handbook of the Chairman for a Jury Trial). Buc., 1890. 260 p.; 2nd ed., 1892.
870. Decuseară, Eugen C. Statistica judiciară a României pe anii 1925–1928 (Romanian Judicial Statistics for 1925–1928). Buc., 1931.
871. Dimitrescu, Gh. D. Organizarea judecătorească a Țării Românești după Regulamentul Organic (Organization of Courts in Romania [Wallachia] after the Organic Act). *Analele facultății de drept din București* (Buc.), 1939, v. 1, No. 2–3: 205–286. (DLC)
872. Dimiu, Radu. (a) Condiții legale și tradiționale în redactarea hotărârilor (Legal Conditions and Customs in Formulating Court

Decisions). *Pandectele române* (Buc.), pt. IV, 1939: 113–124.
(DLC); (b) Stilul judiciar (Judicial Style). Buc., 1940. 292 p.

872. 1. Dongoroz, Vintilă. Rolul procuraturii în apărarea legali-
tății populare (Role of the Public Prosecutor's Office in the
Fulfilment of the People's Legality). *Studii și cercetări juridice*
(Buc.), No. 2, 1957: 141–177. (DLC)

873. Dragomir, Nicolae Gh. Executarea hotărîrilor judecătorești
obținute față de stat și desmembrămintele sale (Execution of
Judgments Against the State and Its Agencies). Buc. (?), 1937.
70 p.

873. 1. Eraclide, Constantin. Curtea de întărituri și notariatul
(Court for Enforcement of Judgments and Other Rulings). Buc.,
1862.

874. Filitti, I. C., Eugen Decusară *and* Alex. Costin. Organizarea
judecătorească în România (Organization of Courts in Romania).
In No. 640.1., v. 1, 1938: 327–347. (DLC)

875. Hilsenrad, Arthur. In legătură cu recenta modificare a com-
petinței instanțelor judecătorești (A Study on Recent Changes
in the Jurisdiction of Courts). *Justiția nouă* (Buc.), v. 15, No.
5, 1959: 825–858. (DLC)

876. Iuliu, George. Competența camerelor arbitrale de pe lângă
bursele de comerț (Jurisdiction of Arbitration Courts Function-
ing for the Stock Exchange). *Dreptul* (Buc.), 1924: 201–203, 210–
213. (DLC)

877. Lahovari, Gr. I. Despre îmbunătățirea dreptăței la noi (Better
Justice). Buc., 1885.

878. Mârzescu, G. Câteva observațiuni asupra legislațiunei și or-
ganizațiunei judiciare (A Few Observations on Legislation and
the Organization of Courts). Buc., 1881.

879. Miclescu, Victor. Reforma judecătorească (Reform of the Ju-
diciary). Buc., 1909.

880. Mînjină, N. Aportul asesorilor populari în justiția noastră
(Role of People's Assessors in Our System of Justice). *Justiția
nouă* (Buc.), v. 15, No. 4, 1959: 611–629. (DLC)

881. Năstase, P. Competența după calitatea persoanei (Court Juris-
diction According to Qualifications of Defendant). *Justiția nouă*
(Buc.), v. 18, No. 1, 1962: 124–128. (DLC)

882. Nedelcu, George D. (a) Atributul puterii judecătorești în ma-

terie de extrădare (Specific Powers of Courts in Extradition).
Buc., 1914; (b) Legea Curței de Casație și Justiție (Law on the
Supreme Court of Justice). Buc., 1910.

883. Petrescu, Gheorghe A. Evoluția organizării judecătorești în
România (Evolution of Court Organization in Romania). Buc.,
1944.

884. Preuțescu, Laurențiu. Referéul în societățile anonime (In-
junctions in Connection with Corporations). *Revista de drept
comercial și studii economice* (Buc.), 1934: 393–406. (DLC)

885. Rădoi, Ioan, *editor*. Legile pentru autentificarea actelor și
pentru autentificarea și legalizarea actelor relative la împrumu-
turile agricole (Law on Notaries Public). Buc., 1886.

886. Rădulescu, Michail P. Legea pentru judecătoriile de pace din
1 Junie 1896 adnotată (Law on Justices of the Peace of 1896
Annotated). Buc. (?), 1897.

887. Răilianu, G. C. Manual de poliție judecătorească (Manual of
the Judicial Authority in Court). Buc., 1884.

888. Rătescu, Const. G. *and* N. Pavelescu. Manualul curților cu
jurați (Manual on Jury Trials). Buc., 1929.

889. Rîpeanu, Grigore, Constantin Mănescu *and* Mihai Popovici.
Procuratura R. P. R. organ de apărare a legalității populare
(Public Prosecution in the R. P. R.). Buc., 1956. 127 p. (DLC)

890. Statistica judiciară a României (Judicial Statistics in Roman-
ia). Buc., 1869 (?)— (?). Title varies. (DLC 1869–1914, 1931–1935).

890. 1. Tarhon, V. Gh. Consiliile de judecată din întreprinderi și
instituții (People's Courts in State Corporations and Institutions).
Buc., 1961. 244 p.

891. Tătaru, V. G. Prezidentul tribunalului în legislațiunea româ-
nă (The President of the Trial Courts in Romanian Legisla-
tion). Galați (?), 1899.

892. Teodorescu, Vasile M. Justiția românească și maghiarii din
Transilvania (Romanian Justice and the Hungarians in Transyl-
vania). *Pandectele române* (Buc.), pt. IV, 1940: 168–183. (DLC)

893. Ternăveanu, Oreste P. Competența instanțelor civile din Bu-
covina. (Jurisdiction of Civil Courts in Bukovina). *Pandectele
române* (Buc.), pt. IV, 1936: 12–21. (DLC)

894. Tușinschi, C. Injurii reciproce. Necesitatea sezisării comisiei
de împăciuire (Mutual Slander and the Reconciliation Com-
mission). *Justiția nouă* (Buc.), v. 16, No. 1, 1960: 107–109.

25. Dictionaries

See also No.: 5.

895. Botez, Alex. A., *joint author*. Dicţionarul codului penal Carol al II-lea (Dictionary of the Criminal Code of King Carol II). Buc., 1938. 721 p. (DLC)

895.1. Martinovici, C. *and* N. Istrati, *editors*. Dicţionarul Transilvaniei, Banatului şi celorlalte ţinuturi alipite (Dictionary of Transylvania, Banat and other Provinces Integrated [into Romania]). Cluj, 1921. 342 p. (DLC)

895.2. Pătrăşcanu, Ioan V. Dicţionar comercial german-român (German-Romanian Commercial Dictionary). Buc., 1929.

896. Pop, Traian. Dicţionar juridic româno-maghiar şi maghiaro-român (Juridical Dictionary, Romanian-Hungarian and Hungarian-Romanian). Cluj (?), 1921.

896.1. Ştefănescu, Const. Ţicu. Micul dicţionar juridic de termene (A Legal Dictionary). Buc., 1904.

26. Domestic Relations

See also Nos.: 234; 380; 408; 419a; 1229; 1267; 1273; 1282; 1292; 1295; 1296; 1314; 1321; 1340; 1341b; 1357; 1380; 1446; 1458; 1520a; 1568a.

897. Agapie, Bogdan. Instituţia fierei (Adoption). Iaşi, 1942. 50 p.

898. Alexandresco, Dimitrie. Divorţul în dreptul român şi roman (Divorce in Romanian Law and in Roman Law). Iaşi, 1897.

898. 1. Apostol, Ion C. Inalienabilitatea imobilelor dotale (Inalienability of Realty Acquired through Marital Contracts). Iaşi, 1902.

898. 2. Barasch, Eugen A., Ion Nestor *and* Savelly Zilberstein. Ocrotirea părintească. Drepturile şi îndatoririle părinţilor faţă de copiii minori (Parental Power. Rights and Duties with Respect to Minor Children). Preface by Tr. Ionaşcu. Buc., 1960. 382 p.

899. Bârsan, I. Regimul matrimonial legal în România (The Marital Legal Status in Romania). Cluj, 1935.

900. Belcik, Alexandru A. (a) Copilul natural (Child Born out of Wedlock). Buc. (?), 1895; (b) Copilul natural. Studiu de legislaţie comparată (Child Born out of Wedlock). Buc., 1902.

901. Beşteleiu, Mihail A. Tractatu asupra actelor de stare civilă (Treatise on Acts of Civil Status). Buc., 1874.

902. Bosianu, C. A. (a) Recunoaşterea copiilor naturali sub codul Caragea (Legitimation of Children under Caragea's Code). *Gazeta tribunalelor* (Buc.), 1860–1863: 3 and 238; (b) Neadmisibilitatea substituţiunilor fideicomisare sub imperiul codului Caragea (Inadmissability of Appointment of a Remainderman under Caragea's Code). *Gazeta tribunalelor* (Buc.), 1860–1863: 362.

903. Botez-Calypso, Corneliu, Mrs. Problema drepturilor femeei române (Rights of Romanian Women). 2nd ed. Buc., 1919.

904. Busdugan, C. N. Despre formele exterioare ale căsătoriei (Forms of Marriage). Buc. (?), 1895.

905. Cerban, Alexandru. Recunoaşterea copiilor naturali (Legitimation of Children Born out of Wedlock). Buc., n.d.

906. Codul familiei (Family Code). Buc., 1955. 77 p. (DLC); 1959. 90 p. (DLC)

907. Constantinescu, Alexandru C. Studiu asupra condiţiunei copiilor naturali (Study on the Status of Children Born out of Wedlock). Buc., 1881.

908. Costea, Traian. Căsătoria din punct de vedere istoric, dogmatic şi canonic (Marriage from the Historic, Dogmatic and Canonic Point of View). Buc., 1935.

909. Dimitrescu, Barbu. Comentarii asupra jurisprudenţei privitoare la regimurile matrimoniale (Comments on Court Decisions on the Legal Status of Marriage). *Pandectele române* (Buc.), pt. IV, 1946: 7–12. (DLC)

910. Docan, George P. (a) Filiaţiunea nelegitimă în proectul codului civil (Children Born Out of Wedlock in the Draft of the Civil Code). Buc., 1933. 60 p.; (b) Noui legiuiri asupra bunului de familie (New Laws on Family Property). *Pandectele române* (Buc.), pt. IV, 1942: 36–50. (DLC)

911. Dumitrescu, Gh. Gh. Situaţia juridică a copilului legitim în proectul codului civil (Legitimacy of Children in the Draft of the Civil Code). Buc., 1934.

912. Filitti, George. Căsătoria faciă cu codul civil şi cu Art. 22 din Constituţiune (Marriage in the Civil Code and the Constitution, Art. 22). Buc., 1883.

913. Gheorghiu, P. G. (a) Comunitatea de achiziţii (câştiguri) ca

regim matrimonial legal (Marital Community Property). Buc., 1945. 52 p.; (b) Regimul matrimonial legal (Legal Status of a Marriage). Buc., 1947. 38 p.

914. Ghimpa, N. D. (a) Dreptul de succesiune al copilului natural (Inheritance Rights of Children Born Out of Wedlock). Buc., 1945. 22 p.; (b) Realizări noi în dreptul civil român: cercetarea paternității (New Improvement in Romanian Civil Law: Paternity Action). Buc., 1945. 40 p.

915. Ionașcu, A. Unele probleme ale codului familiei (Some Problems of the Family Code). *Justiția nouă* (Buc.), 1956: 60–88. (DLC)

916. Ionașcu, Traian R. Suprimarea incapacității civile a femeei măritate în România (Abolition of Civil Incapacity of Married Women in Romania). *Pandectele săptămânale* (Buc.), 28–29, 1935: 611–615. (DLC)

917. Ionescu, Bogdan. Dreptul interprovincial în legătură cu regimul matrimonial fără contract (Interprovincial Law and Legal Status of Marriage Without a Contract [of Community Property]). Cluj (?), 1939.

918. Ionescu, Demetru G. Despre cercetarea filiațiunei naturale (Action to Establish Paternity). Buc. (?), 1871 (?). 400 p.

919. Ionescu, Ion I. Dota sub raportul înstrăinărei (The Dowry). Bârlad, 1913. 315 p.

920. Juvara, Alfred. Legitimarea în dreptul internațional privat (Legitimation [of Children] in Private International Law). *Dreptul* (Buc.), No. 31, 1902. (DLC)

921. Labușcă, Nicolae D. Despre cuniță, un impediment la căsătorie în vechiul drept românesc (Marriage in Old Romanian Civil Law). Iași, 1925. 70 p. (DLC)

922. Luțescu, Gheorghe. (a) Pensia de întreținere în caz de divorț (Alimony). Buc., 1958. 143 p. (DLC); (b) Procedura de divorț (Divorce Procedure). *Legalitatea populară* (Buc.), No. 1, 1961: 35–56. (DLC)

923. Mârzescu, George. Căsătoria (Marriage. A Comparative Study in Civil, Canon and Private International Law). Iași, 1883.

924. Matei, I. Noul regim al actelor de stare civilă și binecuvântarea religioasă (New Legal and Religious Status of Marriage). Brașov, 1941. 71 p.

925. Mavroianni, Al. (a) Situaţiunea juridică a copilului natural în vechiul drept (Legal Status of a Child Born Out of Wedlock under the Old Law). Iassy, 1911; (b) Recunoaşterea voluntară a copilului natural în codul civil român (Legitimation of Children under the Romanian Civil Code). *Tribuna juridică* (Buc.?), Nos. 28–29 and 42–44, 1919.

926. Maxim, Dimitrie G. Examenul critic al nouii legi a actelor de stare civilă din 1929 (Critical Analysis of the 1929 Law on Acts of Civil Status). Buc. (?), 1931.

927. Missir, Petru, Naţionalitatea copiilor legitimaţi (Nationality of Legitimated Children). *Dreptul* (Buc.), No. 38, 1906. (DLC)

928. Nachtigal, A. Reprezentarea minorului în viaţa civilă (Guardianship of Minors in Civil Life). Buc., 1936 (?). 134 p.

929. Nesselrode, Carol. (a) Problema instituţiei tutelare în Transilvania (Problem of the Guardianship Institution in Transylvania). Buc., 1932; (b) Procedura tutelară din Transilvania, adnotată (Procedure in Guardianship Matters in Transylvania, Annotated). Oradea, 1926. 663 p.

930. Nicolescu, Vasile. Consideraţii asupra regimului legal al actelor de stare civilă (Acts of Civil Status). *Justiţia nouă* (Buc.), v. 15, No. 5, 1959: 859–875. (DLC)

931. Panţurescu, V. Filiaţiunea naturală (Illegitimacy). Slatina, 1943.

932. Penculescu, Gh. *and* M. Anghene. Regimul juridic al actelor de stare civilă (Civil Status). Buc., 1958. 176 p.

933. Perieţeanu, I. Gr. Excesele, cruzimile şi injuriile grave în materie de divorţ (Abuses, Cruelty and Serious Insults in Divorce). Buc., 1902. 175 p.

934. Petit, Eugen. Capacitatea juridică a femeii măritate (Legal Capacity of a Married Woman). *Curierul judiciar* (Buc.), No. 28, 1932: 433–436. (DLC)

935. Petrescu-Provian, Th. Logodna în dreptul vechi, în dreptul actual şi în noul cod civil (Betrothal under the Old Law, the Present Law and the New Civil Code). Buc., 1942. 103 p.

936. Polizu, Jaques. Condiţia femeii măritate (Legal Status of Married Women). Buc., 1904.

936. 1. Popescu, Tudor R. Dreptul familiei. Tratat (Family Law. A Treatise). Buc., 1960. 2 v. (DLC v. 1)

937. Rădulescu, Andrei. Organizarea tutelei minorilor în dreptul românesc (Guardians of Minors in Romanian Law). Buc., 1942. 94 p.

938. Râmniceanu, P. René. Desființarea incapacității civile a femeei măritate (Abolition of the Civil Incapacity of Married Women). *Pandectele române* (Buc.), pt. IV, 1932: 390–393. (DLC)

939. Rizeanu, D. *and* D. Protopopescu. Raporturile patrimoniale dintre soți în lumina codului familiei (Property Relationship between Spouses in the Light of the Family Code). Buc., 1959. 191 p. (DLC)

940. Rosenthal, S. Filiațiunea naturală (Illegitimacy). Buc., 1894.

941. Stănescu, Marin D. Obligațiile alimentare (Obligation to Render Maintenance and Support). Buc., 1934. 200 p.

942. Stoenescu, Ilie. Probleme patrimoniale rezolvate prin hotărîrea de divorț (Patrimonial Problems of Divorce Cases Settled by the Court). *Legalitatea populară* (Buc.), v. 5, No. 11, 1959: 12–36.

943. Stoicescu, C. Transformarea noțiunii de "putere părintească" (Transformation of the Concept of "Parental Power"). Buc. (?), 1942. 24 p.

944. Tigoianu, Dimitrie. Filiațiunea naturală și raporturile juridice cari se nasc (Illegitimacy and Legal Consequences. A Comparative Study). Buc., 1928.

945. Țurla, Nicolae. Dreptul familiar ardelenesc (Transylvanian Family Law). Buc., 1929 (?).

946. Vicol, Constantin. Divorțul. Doctrină, jurisprudență, formulare (Divorce. Theory, Court Decisions and Forms). 4th ed. Buc., 1947. 166 p. (DLC)

947. Vrăbiescu, Nicolae G. (a) Condițiunea juridică a copilului natural în dreptul comparat (Illegitimacy in Comparative Law). Craiova, 1928. 314 p.; (b) Dreptul de moștenire al soțului supraviețuitor în legislațiunea comparată (Inheritance Rights of a Surviving Spouse in Comparative Law). Craiova, 1929.

27. Economy

See also Commercial Law; Finance and Taxation and Nos.: 1044a; 1255; 1285; 1422; 1450; 1451.

948. Antim, St. Concepția economică a dreptului (Economic Concept of Law). Buc., 1915. 308 p.; 1925. 215 p.

948. 1. Aslan, Th. C. Studiu asupra monopolurilor în România (A Study Concerning Monopoly in Romania). Buc., 1906. 242 p. (DLC)

949. Aurelian, Petre S. (a) Catehismul economiei politice (A Handbook of Political Economy). Buc., 1900 (?); (b) Elemente de economie politică (A Study of Political Economy). Buc., 1889.

949. 1. Curs de economie politică (A Course in Political Economy). Buc., Ministry of Education and Culture, 1961. 2 v.

949. 2. Ghica, Ioan. Convorbiri economice (Economic Discussions. Publication in Installments Concerning Labor, Credit, Industry, Property, Finance, etc.). Buc. (?), 1865–1876.

949. 3. Ionescu, Alexandru Sadi, joint editor. Bibliografia economică română (Bibliographie économique roumaine) de V. N. Tăranu, I. Gane și N. C. Istrati. Repertoriu bibliographic al lucrărilor relative la științele sociale, economice, agricole și industriale. Cărți și articole din ziare și reviste (Romanian Bibliography on Economics). Buc., 1926– (?). (DLC)

950. Laurian, D. A. Elemente de economie politică (A Study of Political Economy). Buc., 1904 (?).

951. Legislația economiei planificate, 13 Aprille 1948–30 Junie 1949 (Laws Pertaining to the Economic Policy, April 13, 1948–June 30, 1949). Buc., 1949. 575 p. (DLC)

951. 1. Leon, G. Știința financiară (Science of Finance). Cluj, 1928 (?).

952. Madgearu, Virgil N. Evoluția economiei românești după războiul mondial (Evolution of Romanian Economy after the World War). Buc., 1940. 408 p. (DLC)

953. Tașcă, G. Curs de economie politică (Course in Political Economy). Buc., 1944. 510 p.

953. 1. Vulturescu, Gr. Creditul funciar; explicație teoretică și practică a legii și statutelor creditului funciar cu jurisprudența instanțelor judecătorești, diferite legi și studii relative la creditul

funciar şi formulare de acte (Land Credit Institution; Theoretical and Practical Explanation of Law and Its Charter, Court Decisions and Other Laws and Studies Connected Therewith). Buc., 1905. 759 p. (DLC)

28. Education

See also Nos.: 399e; 1283; 1391.

954. Antonescu, G. G. and Iosif I. Gabrea. Organizarea învăţământului (Organization of Education). Buc., 1933.

955. Boerescu, B. Proiecte de lege pentru reorganizarea instrucţiunii publice în România (Drafts of Law on Public Schools). Buc., 1863. 118 p.

956. Maiorescu, Titu. Reforma instrucţiunii publice (Reform of Public Schools). Iaşi, 1891.

956. 1. Micescu, Istrate N. Interpretarea art. 81 din legea învăţământului secundar şi superior. Adnotare (Interpretation of Art. 81 of the Law on Secondary and Higher Education. Annotation of a Court Decision). Pandectele române (Buc.), pt. I, 1923: 20 ff. (DLC)

956. 2. Mironescu, Atanasie II, Bishop. Noua lege a învăţământului şi religia în şcoalele secundare (A New Law on Education and Religion in Secondary Schools). Buc. (?), 1898.

956. 3. Negulescu, Paul, Ion Dumitrescu and George Alexianu, editors. Codul invăţământului (Collection of Laws and Regulations on Education). Buc., 1929. 856 p.

957. Perieţeanu, I. Gr. Teatrele noastre naţionale. Caracterizarea lor din punct de vedere juridic (Our National Theaters from the Legal Point of View). Buc., 1929.

958. Şcòla de administraţiune din amfiteatrulu Colţea (Coltzea School of Administration). Dreptulu (Buc.), 1873, No. 50: 8 ff. (DLC)

958. 1. Titulescu, Nicolae I. Observaţiuni asupra reorganizărei facultăţilor de drept (Reorganization of the Schools of Law). Buc. (?), 1904. 60 p.

959. Valaori, I. Proectele de legi ale învăţământului secundar (Draft of Laws on Secondary Schools). Revista generală a învăţământului (Buc.), v. 16, No. 3, 1927.

29. Electoral Law

See also Nos.: 260; 282; 317; 1239; 1397; 1419d; 1554c.

960. Decret cu privire la alegerea deputaților în sfaturile populare (Decree on the Election of Representatives to the People's Councils). Buc. (?), 1953. 40 p. (DLC)
961. Lege pentru alegerea consiliilor comunale (Law on the Election of Town Councils). Buc., 1886. 76 p. (DLC)
962. Ștefănescu, Const. D. Țicu. Legea electorală (Election Law). Buc. (?), 1888.

30. Eminent Domain

963. Aenianu, G. Th. Tratat pentru cauză de utilitate publică (Treatise on Expropriation for the Public Interest). Buc., 1892.
964. Bădulescu, George St. Cod adnotat de expropriațiune pentru cauză de utilitate publică (Annotated Code on Expropriation for the Public Interest). Buc., 1899.
965. Botez, Corneliu. Rechizițiunea imobilelor în dreptul public și privat (Requisition of Immovable Property in Public and Private Law). *Revista de drept public* (Buc.), 1926: 396–430. (DLC); Buc., 1927.
966. Crutzescu, Alfred *and* I. G. Vântu. Tratat de expropriere pentru cauză de utilitate publică (Treatise on Expropriation for the Public Interest). Buc., 1932 (?). 558 p.
967. Lege de expropriațiune pentru cauză de utilitate publică (Law on Expropriation for the Public Interest in the United Romanian Principalities). Buc., 1864. 21 p. (DLC)
968. Lege pentru modificarea legii din 20 oct. 1864 relativă la exproprierea pentru cauză de utilitate publică (Law on the Expropriation for the Public Interest of Oct. 20, 1864 as Amended). Buc., 1902. 10 p. (DLC)

31. Execution (in Civil Matters)

See also Civil Procedure.

969. Angelescu, Lazăr. Executarea silită (Execution of Judgments). Buc., 1959. 80 p.

970. Bartha *and* T. Hancu. Procedura de execuție în Transilvania (Execution Procedure in Transylvania). Cluj, 1929.

971. Cădere, Victor Georges. Curs de procedură civilă. Căile de execuțiune (Course in Civil Procedure. Execution in Civil Matters). Buc., 1931–1932. 266 p. (DLC)

972. Cașolțeanu, Emil. Dreptul și procedura execuțiunii silite (Law and Procedure for Special Execution in Civil Matters). Cluj, 1923.

973. Cotrutz, D. Sechestrul asigurător și sechestrul judiciar (Attachment and Garnishment). Buc. (?), 1933.

974. Herovanu, Eugen. Teoria execuțiunii silite (Theory of Special Execution in Civil Matters). Buc., 1942.

975. Ionescu, George I. Executarea silită asupra bunurilor nemișcătoare (Art. 192 până la Art. 593 din procedura civilă) și legea pentru creditul funciar român (Special Execution Regarding Real Property). Buc., 1905.

975. 1. Ionescu, Take, Em. Pantazi, Gr. Urlățeanu *and* Em. Antonescu. Sechestru Judiciar. Concluzii (Garnishment. Pleadings). *Curierul judiciar* (Buc.), No. 4, 1916: 32–36. (DLC)

976. Luca, N. Executarea silită a bunurilor imobile (Special Execution on Real Property). Buc., 1904. 684 p.; 2nd rev. ed. by Const. Popescu. Buc., 1927; 3rd ed. 1928.

977. Negulescu, Demetru. Execuțiunea silită (Special Execution in Civil Matters). Buc., 1910.

978. Periețeanu, I. Gr. *and* Alfred Fulga. Legea suspendării execuțiunilor silite imobiliare (Law on Staying Special Execution Regarding Real Property). Buc., 1933.

979. Popescu, Const. Execuțiunea silită (Special Execution in Civil Matters). Buc. (?), 1928.

980. Sion, C. Execuția imobiliară (Execution on Real Property). Iași, 1936.

981. Teodorescu, V. D. Tratat teoretic și practic de execuție silită imobiliară (Treatise on Special Execution on Real Property). Buc., 1911.

982. Ternăveanu, Oreste. Executarea imobiliară în Bucovina (Execution on Real Property in Bukovina). Buc., 1928.

32. Finance and Taxation

See also Nos.: 354a; 680; 951.1; 1270; 1272.1; 1290b; 1371; 1395; 1450; 1504; 1535.

983. Annuallulu legislativu şi indicatorulu alfabeticu de tòte actele supusse timbrului şi înregistrării (Index of Fee Stamps). Buc., 1871–72.

984. Arcadian, N. Regimul fiscal pentru industria românească (Tax System for Romanian Industry). Buc., 1932.

985. Aslan, Th. C. (a) Finanţele României dela Regulamentul Organic până astăzi (1831–1905) (Romanian Financial Situation from the Organic Act to Date (1831–1905)). Buc., 1905. 349 p. (DLC); (b) Reforma acciselor (Reform of Local Taxes). Buc., 1903.

986. Bădulescu, Mihail I. Regimul fiscal al moştenirilor în România şi alte ţări, adnotat (Inheritance Taxation in Romania and Other Countries, Annotated). Buc., 1934. 240 p.

987. Băghină, Gheorghe and Iuliu Deac, editors. Impozitul excepţional, legea şi instrucţiunile (suplimentul II) (Law on Special Taxation with Supplement II). Sibiu, 1947. 160 p. (DLC)

988. Bălan, Teodor Al. Contenciosul fiscal (Controversies in Taxation Matters). Buc., 1935 (?).

989. Balota, Anton and V. Vasiliu. Legislaţia fiscală (Financial Legislation). In No. 640.1, v. 1, 1938: 621–631. (DLC)

990. Bărbulescu, George. Colecţiune de legi financiare, adnotate (Collection of Financial Laws, Annotated). Buc., 1905.

991. Basilescu, Aristide N. Moneda (The Monetary System). Buc., 1923 (?). 450 p.

991.1. Bituleanu, I. and M. Pîrvu. Impozitul pe circulaţia mărfurilor în R. P. R. (Sales Tax in the R. P. R.). Buc., 1960. 55 p.

992. Botez, Corneliu, editor. (a) Lege asupra taxelor de timbru şi înregistrare (Fee Stamp Act). Buc., 1908. 412 p. (DLC); (b) Legea asupra taxelor de timbru, adnotată şi comentată (Fee Stamp Act Annotated). Botoşani (?), 1904; (c) Noua lege a timbrului şi impozitului pe acte şi fapte juridice, comentată şi adnotată (New Fee Stamp Act, Annotated). Buc., 1927.

993. Călăuza economică şi financiară (Economic and Financial Guide). Buc., Ministry of Finance, 1949– (DLC: 4 v.)

994. Ciocanelly, Aristid P., *editor*. Noua lege a timbrului și înregistrărei (New Fee Stamp Act). Buc., 1886.

995. Contribuțiuni la problema reorganizării creditului în România (Suggested Reorganization of the Romanian Credit System). Preface by Mitiță Constantinescu. Buc., 1930. 340 p.

996. Cristea, Gheorghe T. (a) Dreptul de impunere (Tax Law). Buc., 1937; (b) Interpretarea fiscală a actelor și faptelor juridice în cadrul legii timbrului (Interpretation of Acts and Facts under the Fee Stamp Acts). Buc., 1942. 228 p.

997. Davidoglu, Lascăr, *editor*. Legea contribuțiilor directe, adnotată (Law on Direct Taxes, Annotated). Buc., 1932.

998. Dimoftache, Ion Gr. Legea perceperei și urmărirei veniturilor publice din 13 Aprilie 1933 (Law of April 13, 1933 on the Collection of Public Revenue). Chișinău (?), 1934 (?). 130 p.

999. Dumitrescu, Ștefan I. Moneta (The Monetary System). Buc., 1944.

1000. Erbiceanu, Vespasian, Ștefan Mihăescu *and* G. Alexianu. Codul contribuțiunilor directe (Code of Direct Taxes). Buc., 1926.

1001. Filipescu, Nicolae *and* Gh. Huber. Legea pentru perceperea și urmărirea veniturilor publice din 5 Mai 1934, comentată (Law on the Collection of Public Revenue and Enforcement Procedure of May 5, 1934, Annotated). Buc., 1934. 176 p.

1002. Filloti, Zamfir. Câteva observațiuni asupra impozitelor directe (Observations on Direct Taxation). Galați, 1900. 16 p.

1003. Georgescu, Constant. (a) Legea pentru unificarea contribuțiunilor directe... (Uniform Law on Direct Taxes). Buc., 1923; (b) Reforma impozitelor directe (Reform of Direct Taxes). Buc., 1923 (?). 100 p.

1004. Georgian-Mehedințeanu, I. Legea asupra taxelor de timbru și înregistrare (Fee Stamp Act). Buc., 1900.

1005. Grigorescu, Laurențiu. Controlul finanțelor publice în trecutul țării noastre (Control of Public Finances in Romania's Past). Buc., 1936.

1006. Hausknecht, Louis, *editor*. Legea contra cametei (Usury Law). Cernăuți, 1931. 4 p. (DLC)

1007. Indreptar legislativ financiar-economic (Financial-Economic Guide). Buc., 1957– (DLC: 1–3 v., covering 1948–1959).

1008. Lăzărescu, Iuliu, *editor*. Codul de legislație financiară, adnotat (Code of Financial Legislation, Annotated). Buc., 1929. 510 p.

1009. Legea impozitului pe veniturile populației (Law on Public Revenue). Buc., Ministry of Finance, 1950. 353 p. (DLC)

1010. Leon, George N. Caracterizarea bugetului din punct de vedere juridic (Legal Aspect of the Budget). *Revista de drept public* (Buc.), 1926: 449–459. (DLC)

1011. Longinescu, Dimitrie G., *editor.* Noua lege a timbrului (New Fee Stamp Act). Buc., 1927. 480 p.

1012. Lupan, Horia. Studiu asupra impozitelor agricole în România și diferite țări (Study on Agricultural Taxes in Romania and Other Countries). Buc., 1937.

1013. Legislația financiară a R. P. R. Textele oficiale cu modificările până la data de 1 Septembrie 1957 (Financial Legislation of the R. P. R. Official Text with Amendments up to Sept. 1, 1957). Buc., Ministry of Justice, 1957. 599 p. (DLC)

1014. Mândru, Nic. *and* D. Bălăcescu. Codul vamal (Customs Code). Arad, 1928. 201 p.

1015. Merlescu, I. V. Legea vămilor din 13 Aprilie 1933 (Customs Law of April 13, 1933). Buc., 1934.

1016. Myller, Theodor A. Călăuza agentului fiscal (Guide for Internal Revenue Agents). Buc., 1895.

1017. Onișor, Victor. Venitul național, reforma monetară și criza economică specială în România (National Income. Monetary Reform and Economic Crisis in Romania). Buc., 1931. 96 p.

1018. Pascu, N. *and* Th. Al. Bălan. Comentariu la legea pentru unificarea procedurii fiscale (Commentary on the Unified Law on Tax Collection Procedure). Buc., 1939.

1019. Petraru, Constantin G. Studiul impozitelor române (Study of Romanian Taxes). Buc., 1900. 259 p. (DLC)

1020. Plopul, A. B., *editor.* (a) Legea timbrului și a impozitului pe acte și fapte juridice din 1 Mai 1927, adnotată (Fee Stamp Act, May 1, 1927, Annotated). Buc., 1930; (b) Legea pentru impunerile la contribuțiuni directe pe anul 1931 (Law of 1931 on Direct Taxes). Buc., 1931.

1021. Săvescu, Const. V., *editor.* Colecțiunea legilor financiare (Collection of Financial Laws). Buc., 1914.

1021. 1. Stănescu, V. Impozitul, instituție de drept financiar (Taxation, an Institution of Financial Law). *Justiția nouă* (Buc.), v. 15, No. 5, 1959: 820–833. (DLC)

1022. Sterian, I., *editor*. Noua lege a timbrului şi înregistrării (New Fee Stamp Act). Buc., 1886.

1023. Sturdza, Dimitrie A. (a) Finanţele României dela 1871 până la 1875 (Romanian Finances, 1871–1875). Buc., 1876; (b) Starea financiară a României (Current Financial Position of Romania). Buc., 1877.

1024. Taşcă, G. (a) Problema monetară (The Monetary Problem). Buc., 1924 (?); (b) Renaşterea creditului (Rebirth of Credit). *Revista de drept comercial şi studii economice* (Buc.), 1934: 251–261. (DLC)

1025. Tăutu, C. Impozitele directe din România (Income Tax in Romania). Buc., 1938.

1026. Voinescu, Benedict. Nouile impozite şi nouile legi financiare şi economice, explicate şi adnotate (New Taxes and New Financial and Economic Laws in Force, Annotated). Buc., 1906. 412 p. (DLC)

33. Foreign Exchange

See also Nos.: 508; 1315.1; 1364; 1402; 1508f; 1509; 1521; 1548.

1027. Georgescu, Valentin Al. (a) Probleme de drept valutar (Study of Currency Laws). Buc., 1942. 322 p. (DLC); (b) Repertoriul jurisprudenţial al regimului valutar în România, 1932–1942 (Collection of Court Decisions on Currency Exchange in Romania, 1932–1942). Buc., 1942. 430 p.

1027. 1. Plăţi externe (Foreign Exchange). *In* Radu Dimiu, *editor. Pandectele alfabetice.* Buc., 1937: 367–368. (DLC)

34. Foreign Service

See also No.: 1315.

1028. Antonescu, Mihai. Legile de reorganizare ale ministerului regal al afacerilor străine şi relaţiunile internaţionale ale Statului Român şi expunerea de motive (Collection of Laws on the Reorganization of the Romanian Foreign Office). Buc., 1944. 200 p. (DLC)

1028. 1. Gerota, D. D. Excepția exteriorialității și imunității diplomatice (Exceptions to the Rule of Extraterritoriality and Immunity of Diplomats). *Pandectele romône* (Buc.), pt. IV, 1942: 78–81. (DLC)

35. Foreign Trade

See also Nos.: 743; 1364.

1029. Nestor, I. Unificarea formelor juridice pentru comerțul exterior în cadrul relațiilor economice de tip nou dintre țările socialiste și dezvoltarea dreptului internațional privat (Unification of Legal Forms for the Export-Import Trade in a New Type of Economic Relations Among Socialist Countries and the Development of Private International Law). *In* No. 681: 559–587. (DLC)

36. Forensic Medicine

See also No.: 667.

1030. Auerbach. Medicina legală (Forensic Medicine). Buc., 1860.
1031. Bogdan, George. (a) Tratat de medicină legală (Treatise on Forensic Medicine). Buc. (?), 1922 (?). 400 p.; (b) Atentatele în contra bunelor moravuri, din punct de vedere juridic și medico-legal (Attempts against Good Morals from Legal and Forensic Medical Points of View). Buc. (?), 1922 (?). 2 v.
1032. Indrumător pentru prcatica medico-juridică (Practical Guide to Forensic Medicine). Buc., 1955. 159 p.
1033. Minovici, Nicolae *and* M. Kernbach. Technica autopsiei medico-legale (Forensic Medicine on the Technique of Autopsy). Cluj, 1926. 602 p. (DLC)
1034. Minovici, Mina. Tratat complect de medicină legală cu legislația și jurisprudența românească și streină (Complete Treatise on Forensic Medicine with Legislation and Romanian and Foreign Court Decisions). Buc., 1928–1930. 2 v. (DLC)

37. Forestry

See also No.: 1412.

1035. Botez, Corneliu. Legiuiri silvice (Forestry Legislation). Buc., 1923.

1036. Crunau, P. A. Curs de politică forestieră (Course in the Forestry Policy). Buc., 1929.
1037. Demetrescu, Ilie C. (a) Necesitatea și mijloacele de consolidare ale proprietății forestiere (Need and Means for Consolidating Forest Property). Buc., 1937; (b) Politica forestieră românească în lumina legislației silvice post belice (Romanian Forestry Policy and Postwar Forestry Legislation). Buc., 1933.
1038. Nedici, Gh. Evoluția legislației silvice (Evolution of Forestry Legislation). In No. 640.1, v. 3, 1938: 95–109. (DLC)
1039. Nedici, Gh. and Const. Gr. Zotta. Tratat de drept silvic român (Treatise on the Romanian Forestry Law). Buc., 1935. 255 p.
1040. Zotta, Const. Gr. C. and V. I. Harnagea. Codul legislației silvice, adnotat și comentat (Forestry Code, Annotated). Râmnicul-Sărat, 1931. 757 p. (DLC)

38. Government Contracts

See also No.: 808.1.

1041. Gorun, Eva and Eleanora Roman. Contractele economice și rolul lor în aprovizionarea tehnico-materială a economiei R. P. R. (Government Contracts and Their Role in the Technical and Material Supply in the Economy of the R. P. R.). Buc., 1956. 220 p. (DLC)
1042. Strihan, P. Contractele administrative în dreptul român (Government Contracts in Romanian Law). Buc., 1946. 64 p.
1043. Tigăeru, Gh. Contractele economice și disciplina contractuală (Economic Contracts and Contractual Discipline). Buc., 1958. 692 p. (DLC)

39. Industrial Legislation

See also Nos.: 497; 984.

1044. Arcadian, N. P. (a) Industrializarea României. Studiu evolutiv-istoric, economic și juridic (Industrialization of Romania. An Historical, Economic and Legal Study). Buc., 1936. 372 p. (DLC); (b) Legislația industrială (Industrial Legislation). In No. 640.1, v. 3, 1938: 110–118. (DLC)
1044. 1. Budeanu, C. Legislația industrială (Industrial Legislation). Buc., 1936.

1045. Plastara, George. Tratat de legislație industrială (Treatise on Industrial Legislation). Buc., 1908.

1046. Sion, Florin. Legislația industrială în secolul XX (Industrial Legislation in the XXth Century). Iași, 1923 (?). 70 p.

40. Inheritance

See also Nos.: 211; 246; 398; 736; 902b; 914a; 947b; 1265; 1269b; 1286; 1303; 1309; 1386c; 1401; 1413; 1476; 1479a.

1047. Alexandresco, Traian. Drepturile de succesiune ale femeii sărace în averea soțului (Rights of an Impoverished Wife to Inherit the Estate of Her Husband). Buc., 1929.

1047. 1. Angelescu, N. H. Exercitarea dreptului de opțiune succesorală de către cetățenii străini în practica notarială (Exercise by a Foreigner of the Right of Acceptance or Rejection of an Inheritance in Notarial Procedure). Justiția nouă (Buc.), No. 1, 1960: 53–66. (DLC)

1048. Cerban, Alexandru. Despre petiția de ereditate în dreptul comparat (Petition for the Surrender of an Estate Held by Another in Comparative Law). Buc., 1934. 162 p.

1049. Constantinescu, N. Jac. (a) Despre succesiuni (A Study of Inheritance). Câmpulung, 1923; (b) Despre testamente (A Study of Testaments). Galați, 1924. 200 p.

1050. Coroi, Const. C. Liberalitățile imputabile asupra rezervei (Gifts Chargeable in Computing Shares in an Estate). Iași, 1915.

1051. Degré, A. Succesiunile singulare (Successio singularis). Dreptulu (Buc.), 1874: 115–120, 125–128. (DLC)

1052. Economu, Virgiliu V. Reforma dreptului succesoral (Reform of the Inheritance Law). Buc., 1938.

1053. Eliescu, M. Instituția moștenirii, în orânduirile bazate pe exploatare și în socialism, în lumina învățăturii marxist-leniniste (Inheritance, in a Society Based on Exploitation and One Based on Socialism, in the Light of the Marxist and Leninist Doctrine). In No. 681: 199–220. (DLC)

1054. Gheorghiu, P. G. Pluralitatea patrimoniilor (Estates). Buc., 1945. 16 p.

1055. Ghimpa, Nic. Dreptul de succesiune al soțului supraviețuitor (Right of Inheritance of the Surviving Spouse). Buc., 1945. 56 p.

1056. Oteteliṣeanu, Alex. Dreptul de succesiune al soţului supravieţuitor (Right of Inheritance of the Surviving Spouse). Buc., 1912.

1057. Petarea, Virgil. Studiu asupra drepturilor femeii văduve (Rights of Widows). Craiova, 1916.

1058. Petrescu, G. P. (a) Donaţiunile coprinzând donaţiunile între vii şi donaţiunile neregulate (Gifts *inter vivos* and *causa mortis*). Buc., 1891–1892. 2 v.; (b) Succesiunile (Inheritance). Buc., 1895–1898. 3 v.; (c) Testamentele cuprinḑend: legatele, substituţiunile, rezerva (Testaments). Buc., 1889.

1059. Rădulescu, Andrei. Dreptul de moştenire al soţului supravieţuitor (Right of Inheritance of the Surviving Spouse). Buc., 1925. 87 p.

1060. Rodeanu, Nicolae. Principiul egalităţii partajului în natură în dreptul civil român (Principle of Equality in Distribution of Property in Kind in Romanian Civil Law). Buc., 1947. 28 p.

1061. Sachelarie, Ovid A. Impiedicarea de a testa şi efectele ei (Effect of Obstacles in the Making of Wills). *Pandectele române* (Buc.), pt. IV, 1937: 17–24. (DLC)

1062. Stănescu, N. Despre partagiu şi rezervă (Distribution of an Estate). Craiova, 1910. 818 p.

1063. Stoenescu, Dem. Dreptul mamei la succesiunea fiului ei (Mother's Inheritance Rights to a Son's Estate). Buc., 1916.

1064. Titulescu, Nicolae. Impărţeala moştenirilor (Distribution of an Estate). Buc., 1907. 324 p. (DLC)

41. Labor and Trade Unions

See also Nos.: 522b; 656; 1225; 1234; 1235; 1240; 1246.1; 1246.2; 1248; 1291; 1370; 1376; 1428; 1433a; 1436b; 1464; 1482; 1515; 1529; 1537; 1547.

1065. Codul muncii (Labor Code). (a) Text oficial cu modificările până la data de 1 Junie 1958 cu o anexă cuprinzând acte normative uzuale în materie de muncă (Official Text with all Amendments up to June 1, 1958 and Government Regulations). Buc., 1958. 157 p. (DLC); (b) Text oficial cu modificările până la data de 1 Aprilie, 1961 (Official Text with all Amendments up to April 1, 1961). Buc., 1961. 64 p. (DLC)

1066. Barash, Marco. (a) Contractul individual de muncă în dreptul românesc (Individual Employment Contract in Romanian Law). Buc., 1944. 288 p.; (b) Legislaţia muncii în cadrul politicii sociale (Labor Legislation and Social Political Studies). Buc., 1936. 172 p.; (c) Principii de legislaţia muncii (Principles of Labor Legislation). Buc., 1932.

1067. Constantinescu, D. Codul muncii (Labor Code). Buc., 1933. 800 p. (DLC)

1068. Cristoforeanu, E. (a) Caracterul interpretativ al Art. 5, 6 şi 7 din legea pentru jurisdicţia muncii (Interpretative Character of Arts. 5, 6 and 7 of the Law on Labor Jurisdiction). *Revista de drept comercial şi studii economice* (Buc.), 1935: 16–22. (DLC); (b) Contractul individual de muncă (Individual Employment Contract). Buc., 1933. 400 p.

1069. Culegere de acte normative în materie de muncă (Government Regulations Regarding Labor). Buc., Ministry of Justice, 1957. 275 p. (DLC)

1070. Dâmboviceanu, G. P. Legea sindicatelor profesionale şi legea persoanelor juridice (Laws on Trade-Unions and Legal Entities). Buc., 1936 (?). 548 p.

1070. 1. Demetrescu, Dinu. Cu privire la unele controverse din dreptul muncitoresc (Labor Law Controversies). *Legalitatea populară* (Buc.), No. 2, 1961: 47–59. (DLC)

1071. Dobrogeanu, A. Legea grevelor (Law on Strikes). Buc., 1920.

1071. 1. Donea, Al. Legislaţia meseriilor. Legislaţia actuală (Handicraft Legislation. Present Legislation). *In* No. 640.1, v. 3, 1938: 135–144. (DLC)

1072. Efrimescu, Const. P. Codul meseriilor. Legea pentru pregătirea profesională şi exercitarea meseriilor (Handicraft Code). Arad, 1937.

1073. Flitan, C. Probleme de drept muncitoresc în legatură cu reorganizarea prin divizare (totală sau parţială) a organizaţiilor socialiste de stat (Problems of Labor Law Connected with the Reorganization of State Socialist Agencies). *Studii şi cercetări juridice* (Buc.), v. 5, No. 1, 1960: 117–138. (DLC)

1074. Godeanu, Victor. (a) Convenţia colectivă relativă la condiţiile muncei (Collective Bargaining on Working Conditions). Buc., 1927. 172 p.; (b) Convenţia colectivă de muncă în România

(Collective Bargaining in Romania). *Revista de drept public* (Buc.), 1929: 328–340. (DLC)

1074. 1. Gruia, Elena Ion. Ideologia sindicalismului (Trade-Unions' Ideology). Buc., 1930 (?).

1075. Indicatoare tarifare de calificare (Wage Tables According to Specialty). Buc., 1959. 680 p. (DLC)

1075. 1. Indrumător pentru folosirea calculatorului privind stabilirea drepturilor de concediu de boală cuvenite salariaţilor din R. P. R. (Instructions Concerning the Right of the R. P. R.'s Employees to Seek Leave). Buc., 1960. 174 p.

1075. 2. Indreptar pentru probleme de muncă şi salarii (A Guide Regarding Labor and Salaries). Buc., 1956.

1076. Ionescu, Constant. Introducere la studiul conflictului între capital şi muncă (Introductory Study to the Capital-Labor Conflict). Buc. (?), 1924.

1076. 1. Ionescu, Nae. Sindicalismul (Trade Unions. Conference). Buc., 1923 (?). 15 p. (DLC)

1077. Laden, S. *and* T. Zega. (a) Despre contractul individual de muncă (Individual Employment Contract). Buc., 1956. 123 p. (DLC); (b) Răspunderea materială a muncitorilor şi funcţionarilor (Financial Responsibility of Workers and Clerical Employees). Buc., 1957. 96 p.

1078. Madgearu, Virgil. Bresle noui şi bresle vechi (New and Old Trade-Unions). Buc., 1912.

1079. Mateescu, T. Unele probleme ale raportului juridic de muncă (A Study of Labor Problems). Buc., 1959. 76 p.

1080. Matheescu, N. N. Problemele muncitoreşti şi conjuctura economică (Labor Problems and Economic Conditions). Buc., 1927. 257 p.; 1939. 256 p. (DLC)

1081. Miller, L., *joint editor.* Codul muncii, adnotat (Labor Code, Annotated). Buc., 1959. 404 p.

1081. 1. Miller, L. Legislaţia uzuală a muncii (General Labor Legislation). Buc., 1960. 632 p. (DLC); 1961. 686 p. (DLC)

1082. Mişcarea sindicală în România în anii 1926–1930 (Trade-Union Movement in Romania, 1926–1930). Buc., Trade-Unions, 1931.

1083. Paşcanu, Mihail. Legislaţiunea internaţională a muncei (International Labor Legislation). Iassy, 1920.

1084. Plastara, George. (a) Convenția colectivă de muncă (Collective Bargaining). Buc., 1918; (b) Incercări asupra regulamentării muncei în România (A Study of Labor Regulations in Romania). Buc., 1908. 365 p.

1085. Platică, D., D. Candrea *and* M. Coman. Contractul colectiv de muncă, baza întregii activități a organizațiilor sindicale (Collective Labor Agreements Based on the Activity of Trade-Unions). Buc., 1959. 68 p.

1086. Riconte, Toma. Mișcarea sindicală. Sindicalismul reformist. Sindicalismul revoluționar (Trade-Unions). Buc., 1930.

1087. Scopurile și metodele de activitate și luptă ale mișcării sindicale muncitorești (Purposes and Methods of Activities and Fights of the Trade-Union Movement). Buc., Trade-Unions, 1935.

1088. Tașcă, G. (a) Politica socială a României. Legislația muncitorească (Social Policy of Romania. Labor Legislation). Buc., 1940. 386 p. (DLC); (b) Regimul muncii (Labor Status). Buc., 1925. 32 p.

1089. Trancu-Iași, Gr. L. Expunere de motive la legea asupra sindicatelor profesionale 1921 (Explanatory Statement Regarding the Trade-Union Law). Buc., 1921.

1090. Udrea, Corneliu, *joint editor*. Legea contractelor de muncă (Law on Employment Contracts). Buc., 1933.

1091. Viespescu, V. (a) Evoluția regimului muncii industriale în România (Evolution of the Status of Industrial Labor in Romania). Buc., 1929; (b) Legislația muncii (Labor Legislation). Buc., 1937.

1092. Witzman, M. (a) Curs de drept muncitoresc (Course in Labor Law). 4th ed. Buc., 1957. 549 p.; (b) Dreptul muncitoresc în anii puterii populare (Labor Law Under the People's Power). *Justiția nouă* (Buc.), v. 15, No. 4, 1959: 673–686. (DLC)

42. Land Title Register

1093. Barbateiu, Paul. Instituția cărților funciare (Institution of Land Title Registers). Cluj, 1938. 77 p.

1094. Gheorghian, Corneliu. Registrele fonciare din Bucovina (Land Title Registers in Bukovina). Buc., 1932. 2 v.

1095. Mureşanu, Ioan. Noul regim al cărţilor funciare (New System of Land Title Register). Buc., 1943. 160 p.

1096. Negrea, Camil. Admisibilitatea şi efectele înscrierilor de cărţi funciare asupra imobilelor succesorale (Land Title Register and Inheritance of Real Estate). Pandectele române (Buc.), pt. IV, 1947: 4–10. (DLC)

1097. Olteanu, Alexandru. Ordonanţa No. 4420/1918 [M. E.] din Ardeal (Presidential Decree No. 4420/1918 M. E. on Land Title Registers in Transylvania). Blaj, 1941. 133 p.

1098. Rădulescu, Andrei. Publicitatea drepturilor reale imobiliare şi registrele de proprietate (Land Title Registers and Their Significance). Buc., 1923.

43. Landlord and Tenant

1099. Antim, St. Legea proprietarilor (Law on Landlords). Buc., 1934. 300 p.

1100. Benisache, Virgil. Legea asupra drepturilor rezultând din contractul de închiriere şi de arendare (Law on Leasing Houses and Land). Brăila, 1913.

1101. Botez, Corneliu, editor. Noua lege a chiriilor şi legea proprietarilor, adnotate şi comentate (New Law on Tenants and Landlords, Annotated). Buc., 1927.

1102. Conduratu, Grigore, I. Gr. Perieţeanu and Al. Velescu. Codul închirierilor adnotat (Renting Code, Annotated). Buc., 1923. 284 p.; 1924. ca 500 p.

1103. Constantinescu, N. Jac. Contractul de locaţiune (The Lease). Buc. (?), 1923 (?). 400 p.

1104. Demetriu, G. I. Legea asupra drepturilor proprietarilor (Law on Landlords' Rights). Focşani, 1906.

1105. Georgescu, Mircea. Spre un statut al arendăşiei (Contribution to the Legal Status of Land Leases). Buc., 1943. 30 p.

1106. Noua lege a chiriilor, 1927, textul oficial (New Law of 1927 on Renting. Official Text). Buc., 1927. 96 p.

1107. Regimul legal al folosirii locuinţelor în R. P. R. Culegere de acte normative (Legal Status of Housing in the R. P. R.). Buc., 1958. 125 p. (DLC)

1107.1. Solomon, Barbu and Teodor Mandrea. Unele probleme privind repartizarea şi folosirea suprafeţei locative (Legal Problems Concerning the Use of Houses). *Legalitatea populară* (Buc.), v. 5, No. 3, 1959: 3–21.

1108. Stoenescu, Dim. D. Legea asupra drepturilor proprietarilor rezultând din contractele de închiriere (Law on Landlords and Tenants). Preface by Dim. Alexandresco. Craiova, 1908.

44. Local Government

See also Nos.: 334; 342; 356; 960; 1508a; 1572.

1109. Atribuţiunile de autoritate tutelară ale sfaturilor populare Timişoara, 1957 (Functions of People's Councils in Timisoara, 1957). Timişoara (?), 1957.

1110. Leon, Gh. N. Finanţele administraţiilor locale (Finances of Local Governments). Buc., 1940 (?). 533 p.

1111. Legea No. 6 din 28 Martie 1957 de organizare şi funcţionare a sfaturilor populare (Law No. 6 of March 28, 1957, on the Organization of People's Councils). Buc., 1957. 32 p.

1112. Lege pentru organizarea comunelor urbane (Law on the Organization of Towns). Buc., 1913. 50 p. (DLC)

1113. Lege pentru modificarea legei comunale (Law on Local Governments). Buc., 1887. 50 p. (DLC)

1114. Peter, Iulian M. Problema finanţelor comunale (Problem of the Finances of Local Governments). Buc., 1929. 188 p.

1115. Pogor, Vasile. Raport asupra administraţiei şi a treburilor Comunei Iaşi pe 1888–1889 (Report on the Administration of Jassy for 1888–1889). Iaşi, 1890.

1116. Pop, Romul Gh., editor. Codul finanţelor locale (Code of Finances of Local Governments). Buc., 1933.

1117. Rădulescu, Andrei. Vieaţa juridică şi administrativă a satelor (Legal and Administrative Life of Towns). Buc., 1927. 134 p.

1118. Sfaturile populare apără şi promovează legalitatea populară (People's Councils Defend and Promote the People's Legality). Buc., 1955. 87 p. (DLC)

1119. Sfaturile populare comunale (People's Local Councils). Buc., 1957. 68 p.

1120. Vlad, Stan. Organizarea muncii sfaturilor populare comunale (Organization of People's Local Councils). Buc., 1956. 99 p.

45. Military Laws and Courts-Martial

1121. Cristescu, George. Reorganizarea justiției militare (Reorganization of Military Justice). *Revista de drept public* (Buc.), 1929: 362–395. (DLC)

1122. Homoriceanu, N. Codul justiției militare, adnotat (Code of Military Justice, Annotated). 2nd ed. Buc., 1916. 395 p. (DLC)

1123. Manolache, Const. *and* Al. Madarjac. Codul recent al justiției militare (Recent Code of Military Justice). Buc., 1936 (?). 800 p.

1124. Tarhon, V. Gh. Atribuțiuni de drept public conferite autorităților militare în sprijinul dictaturii și ca urmare a stării de răsboiu (Military Jurisdiction in Public Law After the War). Buc., 1947. 597 p.

46. Mining

See also Nos.: 1249; 1276; 1307; 1388; 1392; 1410; 1529.

1124.1. Alimănișteanu, Constantin. Studiu asupra legii minelor (A Study on Mining Law). Buc., 1895.

1125. Anagnoste, G. C. Legislația minieră și petroliferă română (Mining and Oil Legislation in Romania). Ploești, 1924.

1125.1. Chicos, St. Evoluția regimului minelor (Legal Development of Mining). *In* No. 640.1, v. 3, 1938: 119–128. (DLC)

1126. Dissescu, Const. G. Legea minelor (Mining Law). Buc., 1895.

1127. Dumitrescu, Gh. *and* Gr. Dobrescu. Legea minelor, comentată și adnotată (Mining Law, Annotated). Buc., 1932.

1128. Hârjescu, C. *and* Gr. Oghină. Legea minelor din 27 Martie 1929 (Mining Law of March 27, 1929). Buc., 1929.

1129. Leon, Gh. N. Petrolul românesc și noul proect de lege a minelor (Romanian Oil and New Draft of Mining Law). Buc., 1937.

1130. Marinescu, N. G., *editor.* Codul consolidărilor petrolifere (Legislation on Petroleum Mining). Buc., 1923. 514 p.

1131. Rădulescu, Andrei. Probleme din legea minelor (Problems in the Law on Mining). *Revista de drept comercial și studii economice* (Buc.), 1934: 459–475, 539–552. (DLC)

1132. Rosetti, D. R., *editor*. Legi, regulamente, decrete şi indicii alfabetice privitoare la mine şi petrol (Laws, Regulations, Decrees and Alphabetical Index on Mines and Oil). Buc., 1905. 500 p.

1133. Săulescu, M. Legea minelor (Mining Law). Buc., 1895.

1134. Stoian, G. *and* V. Gheorghiade. Legiuirile miniere vechi şi noui ale României (New and Old Romanian Mining Laws). Buc., 1925.

1135. Sturdza, Dimitire A. (a) Cestiunea petrolului în România (Question of Romanian Oil). Buc., 1905; (b) Legea minelor (Mining Law). Buc., 1895; (c) Petrolul României (Romanian Oil). Buc., 1904.

1136. Tănăsescu, I. Sistemele de organizare a proprietăţii miniere şi politica minieră în diferite state (A Comparative Study on Mining Properties in Various Countries). Buc., 1916.

1137. Vântu, I. Proprietatea zăcămintelor miniere în România (Mining Property in Romania). Buc., 1938. 53 p.

1138. Vârgolici, Cezar I. Teoria proprietarului aparent şi legea consolidărilor petrolifere (Theory of Subjacent Ownership and Law on Petroleum Mining). Ploeşti, 1909. 70 p.

1139. Vulturescu, Gr. Legea minelor. Respuns d-lui C. G. Dissescu (Mining Law. An answer to Mr. C. G. Dissescu). Buc., 1895.

47. Mortgages

See also No.: 1400.

1140. Cerban, Al. Privilegii şi ipoteci (Privileges and Mortgages). Buc., 1938. 344 p.

1141. Constantinescu, Jak. Despre hipoteci (Study on Mortgages). Buc., 1925.

1142. Negulescu, Demetru. Teoria privilegiilor şi ipotecilor (Mortgages and Privileges). Buc. (?), 1902.

1143. Petrescu, G. P. Introducere la privilegii şi hypotheci coprinđend şi cadastrul, registrele fonciare şi îmmatricularea (Privileges, Mortgages and Land Title Registers), Buc., 1900. 156 p.

48. Nationality

See also Nos.: 352; 1239.1; 1251; 1258; 1259; 1260; 1312; 1383g; 1461.1; 1468; 1505; 1527; 1542; 1578.

1144. Ghica, Grigore. Principiile noi în materie de naționalitate din legea Mârzescu (New Principles Regarding Nationality in Marzescu's Law). Buc., 1930. 67 p.

1145. Maxim, Dim. G. (a) Cetățenia de onoare (Citizenship honoris causa). *Dreptul* (Buc.), 1925: 89–94 (DLC); (b) Condițiunile de fond ale naturalizării după noua lege română din 1939 (Essential Conditions for Naturalization under the New Romanian Law of 1939). *Pandectele române* (Buc.), pt. IV, 1940: 113–119. (DLC); (c) Efectele naturalizărei după sistemul legei noui din 1924 (Effects of Naturalization under the New Law of 1924). *Dreptul* (Buc.), 1924: 169–173, 185–188, 241–243, 297–299. (DLC); (d) Naționalitatea română și condiția străinilor sub raportul dreptului civil și al tratatelor în urma alipirei provincilor noi (Romanian Nationality and Condition of Foreigners under Civil Law and the Treaties in Great Romania). Buc., 1929; (e) Naturalizarea în România după Constituție și noua lege a naturalizării (Naturalization in Romania According to the Constitution and the New Law on Naturalization). Buc., 1925; (f) Retragerea naționalității române după noua lega din 1924 (Revocation of Romanian Nationality According to the New Law of 1924). *Dreptul* (Buc.), 1925: 41–45, 50–54. (DLC)

1146. Pușcariu, Emil. Legea privitoare la dobândirea și pierderea naționalității române (Law on the Acquisition and Loss of Romanian Citizenship). *Pandectele române* (Buc.), pt. IV, 1939: 81–104. (DLC)

49. Nationalization and Confiscation

See also Eminent Domain and Nos.: 722; 1237; 1243.

1147. Alexianu, George. Românizarea bunurilor evreești (Nationalization of Jewish Property). Buc., 1942.

1147.1. Dumău, Mihail *and* C. Oprișan. Confiscarea în dreptul penal al R. P. R. (Confiscation under Criminal Law in the R. P. R.). *Legalitatea populară* (Buc.), No. 1, 1959: 35–46. (DLC)

1148. Dumitraş-Biţoaica, Gh. Statutul juridic al evreilor şi legislaţia românizării (Legal Status of Jews and Laws on the Nationalization of their Property). Buc., 1942. 395 p. (DLC)

1149. Hălăceanu, C. Naţionalizarea subsolului (Nationalization of the Subsoil). Buc., 1923.

1150. Stere, C. Naţionalizarea industriei de petrol (Nationalization of the Oil Industry). Buc., 1921.

1150.1. Stonescu, Ilie. Executarea silită a confiscării (Confiscation Procedure). Legalitatea populară (Buc.), No. 3, 1961: 13–28. (DLC)

50. Negotiable Instruments

See also Commercial Law and No.: 1496.

1151. Alexandrescu, Traian, *editor.* Legea titlurilor la purtător, pierdute, furate, distruse, etc. (Law on Lost, Stolen, or Destroyed Negotiable Instruments). Buc., 1930. 250 p.

1152. Cristoforeanu, E. Tratat de drept cambial (Treatise on Bills and Notes). Buc., 1936. 2 v.

1153. Demetrescu, Paul I. Cambia, biletul la ordin, cecul (Bills, Notes, and Checks). Buc., 1942. 280 p.

1154. Finţescu, I. N. Cambia. După legile în vigoare în Vechiul Regat, Bucovina şi Transilvania (Bills and Notes in the Law of the Old Kingdom, Bukovina and Transylvania). Buc., 1927. 2 v.

1155. Gălăşescu-Pik, D. (a) Cambia şi biletul la ordin (Bills and Notes). Buc., 1939. 800 p.; (b) Cekul, studiu economico-juridic (Economic and Legal Study of Checks). Buc., 1927. 488 p. (DLC)

1156. Ionescu, Stelian, Paul I. Demetrescu *and* I. L. Georgescu. Noua lege asupra cambiei şi biletului la ordin şi legea asupra cecului (New Law on Negotiable Instruments). Buc., 1935 (?). 729 p.

1157. Pârvulescu, N. M. *and* C. St. Radianu. Cambia şi acţiunea cambială (Bills and Notes and Actions Connected with Them). Ploeşti, 1904.

1158. Paşcanu, Mihail. (a) Cambia în dreptul român (Bills and Notes in Romanian Law). Buc., 1923; (b) Dreptul cambial român (Romanian Law on Bills and Notes). Buc. (?), 1924; (c)

Elemente de drept cambial român (Elements of Romanian Law on Bills and Notes). Buc. (?), 1912.

1159. Veith, Emanoil R. Noua lege asupra cambiei și a biletului la ordin (New Law on Bills and Notes). Iași (?), 1936 (?). 300 p.

1160. Vicol, Constantin. Cambia; doctrina, jurisprudența, formulare. Legea asupra cambiei și biletul la ordin din 1 Maiu 1934 (Bills and Notes. Doctrine, Court Decisions, Forms. Law of May 1, 1934 on Negotiable Instruments). Buc., 1939. 178 p. (DLC)

51. Pensions and Social Security

See also Nos.: 1319; 1546; 1550.

1161. Costescu, Chiru C., editor. Legea generală de pensiuni și regulamentul ei, adnotată (Law on Pensions, Annotated). Buc., 1916. 158 p. (DLC)

1161. 1. Decret privind dreptul la pensie în cadrul asigurărilor sociale de stat. Regulament pentru aplicarea decretului No. 292 din 30 Julie 1959, privind dreptul la pensie în cadrul asigurărilor sociale de stat. Texte oficiale cu instrucțiunile și completările din 29 Aprilie 1960 (Decree on State Pensions. Regulations Implementing Decree No. 292 of July 30, 1959. Official Texts with Instructions and Amendments of April 29, 1960). Buc., 1960. 128 p.

1162. Giurginea, P. and I. Coconețu. Codul pensiilor publice (Code of Pensions for Government Employees). Buc., 1939.

1163. Lege pentru înființarea serviciului social (Law for the Creation of Social Service). Buc., 1939. 12 p. (DLC)

1163. 1. Mărgăritescu, D. Cu privire la regimul juridic al pensiilor (A Study on Legal System of Pensions). Justiția nouă (Buc.), No. 6, 1959: 1007–1017. (DLC)

1164. Raclisu, Romulus Al., editor. Colecțiune de toate legile și regulamentele vechi și noi de pensiuni din ambele Principate (Collection of all Pension Laws of Both Principalities). Buc., 1874.

1165. Zeuceanu, Alexandru, editor. Legea generală de pensiuni, comentată și adnotată (General Law on Pensions, Annotated). Buc., 1905. 600 p.

52. Police

1166. Frunzescu, Emil A. Legea măsurilor excepționale (Emergency Measures). Buc., 1915. 315 p.

1167. Pascu, I. Dreptul polițienesc român (Romanian Police Law). Buc., 1929.

1168. Periețeanu, I. Gr. and Alfred Cuza, editors. Legea liniștei publice, adnotată și comentată (Law on Disturbing the Peace, Annotated). Buc., 1932.

1169. Zguriadescu, Const. Poliția technică și ancheta judiciară științifică (Technical Police and Crime Investigations). Buc. (?), 1913.

53. Press

See also No.: 1241.

1170. Nesselrode, Carol. Legea asupra presei și legea asupra apărărei onoarei aplicabile în Ardeal (Press Law in Transylvania). Oradea, 1931. 116 p.

54. Property

See also Civil Law; Copyrights, Patent Law, Trade-Marks and Nos.: 659; 1236; 1265; 1330; 1349; 1377b; 1420; 1472; 1511; 1539d; 1543d; 1588.

1171. Georgescu, Emil. Apărarea proprietății socialiste prin mijloace de drept administrativ (Protection of Socialist Property by Means of Administrative Law). Justiția nouă (Buc.), 1956: 424–434. (DLC)

1172. Georgian, George. Proprietatea și posesiunea în codul civil austriac și român (Property and Possession in the Austrian and Romanian Civil Codes). Buc., n.d. 76 p.

1173. Ghica, George M. Cesiunea proprietăței în Dobrogea (Transfer of Property in Dobrudja). Buc. (?), 1881.

1174. Kogălniceanu, Mihail. Tocmelile agricole (Land Transactions). Buc., 1882. 45 p.

1175. Linzmayer, C. Probleme de drept în legătură cu supraetajarea clădirilor (Legal Problems in the Construction of New Floors). *Legalitatea populară*, (Buc.), v. IV, No. 5, 1958: 37–42. (DLC)

1176. Merlescu, I. Sancţiunile administrative şi rolul lor în apărarea proprietăţii socialiste (Administrative Sanctions and Their Role in the Protection of Socialist Property). *Studii şi cercetări juridice* (Buc.), v. 4, No. 2, 1959: 275–299. (DLC)

1177. Nedelschi, G. Dreptul de proprietate personală în R. P. R. (Personal Ownership in the R. P. R.). *Justiţia nouă* (Buc.), 1954: 179–197. (DLC)

1178. Negru, Vasile Z. Spre socializarea dreptului de proprietate (Socialization of Property). Sibiu, 1945. 116 p.

1179. Paşalega, D. Acţiunea în revendicare, mijloc de drept civil pentru apărarea proprietăţii socialiste (Revindication Action as a Defense of Socialist Property). *Legalitatea populară* (Buc.), v. 5, No. 8, 1959: 39–55.

1180. Poruţiu, Petre. (a) Problema preţurilor în procesele privitoare la proprietăţile imobiliare din nordul Ardealului (Problem of Prices in Legal Actions on Real Property in North Transylvania).Sibiu, 1942. 20 p.; (b) Situaţia juridică a proprietăţii imobiliare româneşti din nordul Transilvaniei (Real Property in North Transylvania). Sibiu, 1943. 32 p.

1181. Probleme privind desvoltarea şi apărarea proprietăţii socialiste în dreptul R. P. R. (Problems Regarding the Development and Protection of Socialist Property in the R. P. R.). Buc., Academy of the R. P. R. 1959. 275 p. (DLC)

1182. Rădulescu, Andrei. Dreptul şi proprietatea rurală (Law and Rural Property). Buc., 1941 (?).

1182. 1. Unele aspecte ale apărării avutului obştesc prin mijloace de drept penal (Some Aspects of the Protection of Socialist Property by Means of Criminal Law). Buc., Ministry of Justice, 1960. 66 p.

1182. 2. Unele aspecte privind apărarea proprietăţii cooperatist-colectivistă prin mijloace de drept civil (Some Aspects of the Protection of Collective Property by Means of Civil Law). Buc., Ministry of Justice, 1960. 75 p.

1183. Veniamin, Virgil. Teoria generală a garanţiilor reale (General Theory on Pledges). Buc., 1937. 250 p.

55. Public Health

1184. Irimescu, S. Organizaţii şi legiferări pentru combaterea tuberculozei (Organizations and Legislation to Combat Tuberculosis). Buc., 1924.

1185. Vraca, Ion *and* Şt. Spirescu. Colecţiunea legilor, regulamentelor şi instrucţiunilor sanitare (Collection of Sanitary Laws). Buc., 1899. 747 p. (DLC)

56. Revalorization

See also Nos.: 1488; 1493.

1186. Ciulei, Gh. Problema datoriilor agricole (Problem of Agricultural Indebtedness). Buc., 1932.

1187. Cornăţeanu, N. D. Problema datoriilor agricole (Problem of Agricultural Indebtedness). Buc., 1931.

1188. Durma, M. *and* Al. Neagu. Noua lege de assanare a datoriilor din Octombrie 1932 (New Law on the Revalorization of Debts of October 1932). Buc., 1932.

1189. Georgescu, Constant. Conversiunea şi asanarea datoriilor agricole din punct de vedere juridic, economic şi financiar (Revalorization and Liquidation of Agricultural Indebtedness from the Legal, Economic, and Financial Point of View). Buc., 1932.

1190. Radovici, Sebastian, E. Cristoforeanu *and* Petre Măinescu. Legea conversiunii, adnotată şi comentată (Law of Revalorization, Annotated). Preface by C. Argetoianu *and* Al. Radian. Buc., 1932. 300 p.

1191. Romniceanu, M., *joint editor*. Legea şi regulamentul pentru lichidarea datoriilor agricole şi urbane (Law on the Liquidation of Agricultural and Urban Indebtedness). Buc., 1934.

1192. Stoeanovici, C., *joint editor*. Reglementarea datoriilor agricole şi urbane (Agricultural and Urban Indebtedness). Buc., 1933.

1193. Stoeanovici, C., *editor*. Legile pentru suspendarea urmăririlor şi executărilor asupra bunurilor rurale (Law on Suspension of Executions on Rural Real Property). 2nd ed. Buc., 1932.

57. Roman Law

See also Nos.: 209b; 828; 1306; 1337.1; 1363; 1386a, b; 1401; 1421.1; 1445e; 1457.2.

1193. 1. Berceanu, Mihail. Importanţa acţiunilor *bonae fidei* (Importance of Actions *bonae fidei*). Buc., 1907.

1194. Cătuneanu, I. C. (a) Curs elementar de drept roman (Course in Roman Law). Cluj, 1922; 2nd ed., 1924; (b) Isvoare de drept roman şi formule de acţiuni (Sources of Roman Law and Forms of Actions). Buc., 1923.

1195. Cesărescu, Ioan N. Lex commissoria. *Revista de drept şi sociologie* (Buc.), No. 1, 1898.

1195. 1. Ciulei, George, *joint editor*. Bibliografie românească de lucrările şi articolele de Drept Roman (Romanian Bibliography on Roman Law). *In* Raymond Monier. Bibliographie des travaux récents de Droit romain... Paris, 1944. (DLC)

1195. 2. Corodeanu, N. (a) Cautio praedibus praediisque. Buc., 1924; (b) Importanţa şi metoda studiului de drept roman (The Importance and Method of Roman Law). Buc., 1920.

1195. 3. Danielopol, Gheorghe. Explicarea Institutelor lui Justinian (Explanation of Justinian's Institutes). Buc., 1899, 1900.

1196. Dumitrescu, Grigore. (a) Cognitor şi procurator (Cognitor and Procurator). Buc., 1909. 88 p.; (b) Despre acţiunile de bună credinţă *(Bona fide* Actions). Buc., 1907. 188 p.; (c) Curs de drept roman (Course in Roman Law). Buc., 1930 (?). 2 v.; (d) Mandatul în dreptul român şi roman (The Mandate in Romanian and Roman Law). Buc., 1904.

1197. Georgescu, Valentin Al. (a) Bibliografia lucrărilor de drept roman apărute în 1940–1942 (Roman Law Bibliography for 1940–1942). Buc., 1943. 80 p.; (b) Dreptul roman şi sufletul lumii moderne (Roman Law and the Soul of Modern Times). Buc., 1943 (?); (c) Leges mancipii, lex privata, lex contractus et pactum. Buc., 1943. 100 p.; (d) Opoziţia dintre "Fapt" şi "Drept" în dreptul roman şi în dreptul modern (Distinctions between "Fact" and "Law" in Roman Law and Modern Law). Buc., 1943. 16 p.; (e) Problemele actuale ale dreptului roman (Outstanding Problems of Roman Law). Buc., 1942 (?). 465 p.

1198. Hanga, Vladimir. Curs de drept roman (Course in Roman Law). Cluj, 1958. 527 p. (DLC)

1199. Kalinderu, Ioan. (a) Din viața romană (Roman Life). Buc., 1904; (b) Studiu asupra celor XII Table (A Study on the XII Tables). Buc. (?), 1888; (c) Viața municipală la Pompei (Municipal Life in Pompei). Buc., 1890.

1200. Longinescu, S. G. (a) Curs de drept roman (A Course in Roman Law). In 4 parts. Buc. (?), 1902–1905; (b) Elemente de drept roman (Elements of Roman Law). Buc. (?), 1914; Buc., 1927–1929. 2 v. (DLC); 1930. 2 v.;

1201. Meitani, Ștefan. Evoluțiunea dreptului de proprietate la romani. Studiu juridic și istoric (Evolution of the Property Law among the Romans. A Legal and Historical Study). Buc., 1902. 321 p. (DLC)

1202. Mironescu, G. G. Din istoria dreptului privat roman (A Study on the History of Roman Private Law). Buc., 1896. 112 p.

1203. Moșoiu, Tiberiu and Valentin Al. Georgescu. Observațiuni asupra ultimelor cercetări despre nexum (A Study on the Nexum). Buc., 1943. 20 p.

1204. Olinescu, Dionisie. Acțiunea pauliană în dreptul roman și român (Actio Pauliana in Roman and Romanian Law). Iași (?), 1899.

1205. Opreanu, Luciliu Remus. Chestiunea agrară în Imperiul Roman, Franța, Germania și România (The Agrarian Problem in the Roman Empire, France, Germany and Romania). Buc., 1902.

1206. Petrescu, G. P. Acțiunea pauliană în dreptul roman și în dreptul civil român (Actio Pauliana in Roman and Romanian Law). Buc., 1868.

1206. 1. Popescu-Spineni, Ilie. (a) Nexum. Pitești, 1925; (b) Teoria generală a contractelor romane (General Theory of Roman Contracts). Iași (?), 1936.

1207. Stoicescu, C. Curs elementar de drept roman (Elementary Course in Roman Law). 2nd ed. Buc., 1927; 3d ed., 1931. 617 p. (DLC)

1208. Tocilescu, G. G. Despre acțiunea pauliană în dreptul roman și despre nulitatea manumisiunilor după legea Aelia Sentia (Action of a Creditor Attacking Transactions of a Debtor for Fraud in Roman Law and Nullity of Manumissions According to the Aelia Sentia Law). Buc., 1874.

1209. Tocilescu, Gr. Despre legat în dreptul roman și român (Devise and Legacy in Roman and Romanian Law). Buc., 1874. 176 p.

1210. Tomulescu, Const. St. (a) Curs de drept privat roman (Course in Roman Private Law). Buc., 1955. 280 p.; (b) Manual de drept privat roman (Manual of Roman Private Law). Buc., 1958. 1010 p. (DLC)

58. Traffic and Transportation

See also Water Rights and Nos.: 479; 483c; 484; 510; 1501b.

1211. Cotrutz, Dim. I., A. Semaca *and* Eugen Dumitrescu. Legea circulației pe drumurile publice (Traffic Law). Buc., 193–(?) 240 p.

1212. Măinescu, Petre Alex., *editor*. Codul transporturilor adnotat (Transportation Code, Annotated). Buc., 1931. 1110 p. (DLC)

1212. 1. Normele legale privind circulația pe drumurile publice (Traffic regulations). Buc., Ministry of Internal Affairs, 1957. 116 p. (DLC)

59. Trials

See also Nos.: 1227; 1256; 1264; 1390; 1399.

1213. Biblioteca marilor procese (Collection of Famous Cases). Buc., 1922 (?)–1931 (?).

1214. Codreanu, Corneliu Zelea, *defendant*. Adevărul în procesul lui Corneliu Zelea Codreanu, Maiu 1938 (The Truth in the Corneliu Z. Codreanu Trial). Buc., 1938. 252 p. (DLC)

1215. Delavrancea, Barbu. Inocent. Pledoarie în procesul Socolescu (Not Guilty. Socolescu's Trial (Pleading)). Buc., 1904. 95 p. (DLC)

1216. Mureșanu, A. A. Documentele procesului: Memorandului (Documents in the Case of "Petitioners" in Transylvania). Bra-șov, 1933.

1217. Rosental, S. Procesul optanților unguri dinaintea tribunalu-lui arbitral mixt româno-ungar din Paris. Pledoarie în limba franceză (Proceedings of the Mixed Romanian-Hungarian Tribunal in Paris. Pleading in French). *Pandectele române* (Buc.), pt. IV, 1927: 1–22. (DLC)

60. Water Rights

See also No.: 1250.

1217. 1. Bolintineanu, A. Marea teritorială (Territorial Sea Waters.) Buc., 1960. 348 p.

1218. Grigorcea, Florin. Regimul juridic al apelor în România (Legal Status of Waters in Romania). Buc., 1936 (?). 200 p. (?)

1219. Paşcanu, Mihail. Regimul apelor în România Mare (Legal Status of Waters in Great Romania). Iaşi (?), 1919.

1219. 1. Rarincescu, I. G. Regimul apelor. Legea din 1924. Legea din 1930 (Legal Status of Waters. Laws of 1924 and of 1930). *In* No. 640.1, v. 3, 1938: 129–134. (DLC)

1220. Tonegaru, Constantin C., A. Teodoru *and* C. Ioaniţiu. Codul maritim şi fluvial (Maritime and Inland Waterways Code). Buc., 1934. 694 p. (DLC)

1221. Vermeulen, J. H. Regimul juridic al apelor în România (Legal Status of Waters in Romania). Buc., 1928 (?). 101 p.

8

BIBLIOGRAPHY OF BOOKS AND ARTICLES IN FOREIGN LANGUAGES

A. In English

See also Nos.: 198; 199; 200; 1430.

1221. 1. Arămescu, Constantin, *joint author*. Worker and Factory. Romania. *In* No. 1242: 1558–1570. (DLC)

1222. Bogsch, A. L. International Copyright. Description of the Treatment Given by the Countries of the World to Foreign Works and Authors. Pt. 1: European Countries. *UNESCO Copyright Bulletin*, No. 4, 1951: 101–178. (DLC)

1223. Braham, R. L. The New Constitution of Romania. *American Journal of Comparative Law*, 1954: 218–227. (DLC)

1224. Bureau Voor Technische Adviezen, Amsterdam. Manual for the Handling of Applications for Patents, Designs and Trade Marks Throughout the World. Amsterdam, July 1927; 2nd ed., Sept. 1936, 1 v. loose-leaf (1936–1950). Current. (DLC)

1225. Child Labor. Comradely Boards. *Highlights*, No. 1246, v. 2, No. 3, 1954: 76–80. (DLC)

1226. Childs, J. R. Registration and Incorporation in Romania. U. S. Bureau of Foreign and Domestic Commerce, Comparative Law Series, v. 5, No. 5, 1927: 1–9. (DLC)

1227. Ciobanu, Vasile, *defendant*. Trial of the Group of Spies and Traitors in the Service of Imperialist Espionage. Buc., 1950. 43 p. (DLC)

1228. Cohen, J. G. Principles of the New Draft of the Roumanian Code of Commerce. *New York University, Law Quarterly Review*, v. 10, 1932: 25–56. (DLC)

1229. Cohn, Herman, *editor.* The Foreign Laws of Marriage and Divorce. The Countries of the European Continent. Tel-Aviv, 1937– (DLC)

1230. The Constitution of the People's Republic of Romania. Washington, 1948 (?), 27 p. (DLC); Buc., 1948. 78 p. (DLC)

1231. Constitution of 30 June/12 July 1866. Roumania. *In* Herbert F. Wright, *editor.* The Constitutions of the States at War 1914–1918. Washington, Government Printing Office, 1919: 517–536.

1232. Copyright Laws and Treaties of the World. Romania. New York, UNESCO, 1961. (DLC)

1233. Costin, Alex. Review of Agrarian Decisions of the Romanian Supreme Court. *International Bulletin of Agricultural Law* (Rome), v. 1, No. 2, 1940: 165–174. (DLC)

1234. Crişan, Gh. Trade Unions. *Highlights,* No. 1246, v. 4, No. 2, 1956: 47–63. (DLC)

1235. Ctitor, G. The Most Important Features of the 1958 Labor Code. *Highlights,* No. 1246, v. 7, No. 9, 1959: 361–367. (DLC)

1236. Dienstag, P. M. *and* H. L. Pinner, *editors.* World Copyright, An Encyclopedia (The Protection of Intellectual and Industrial Property Throughout the World). Leyden, 1953–1960. 5 v. (DLC)

1237. Doman, N. R. (a) Compensation for Nationalized Property in Postwar Europe. *International Law Quarterly,* v. 3, 1950: 323–42. (DLC); (b) Post-war Nationalization of Foreign Property in Europe. *Columbia Law Review,* v. 48, 1948: 1125–61. (DLC)

1238. Draft Constitution of the Rumanian People's Republic. Buc. (?), 1952. 56 p. (DLC)

1239. Electoral Regime. Buc., Ministry of Information, 1947 (?). 42 p. (DLC)

1239. 1. Flournoy, R. W. *and* M. O. Hudson. A Collection of Nationality Laws of Various Countries. New York, Oxford University Press, 1929: 231–235. (DLC)

1239. 2. Family Code in the R. P. R. Buc., 1958. 106 p. (DLC)

1239. 3. Gheorghiu, Raoul *and* Anton Wekerle. New Substantive Criminal Law. Romania. *In* No. 1242: 1080–1100. (DLC)

1240. Ghiulea, N. Labor Organization in Romania. *International Labor Review* (Geneva, Switzerland), v. 9, 1924: 31–49. (DLC)

1241. Great Britain. Foreign Office. The Press Laws of Foreign Countries with an Appendix . . . London, 1926. 328 p. (DLC)

1242. Gsovski, Vladimir *and* K. Grzybowski, *editors*. Government, Law and Courts in the Soviet Union and Eastern Europe. London, Stevens & Sons; New York, A. F. Praeger, 1959. 2 v. (DLC)

> Romania: Chapters 11, 25, 28, 39, 47, 56, 67, pages 368–395; 789–812; 845–855; 1080–1100; 1345–1361; 1558–1570; 1852–1877.

1243. Gutteridge, Joice. Expropriation and Nationalization in Hungary, Bulgaria and Roumania. *International and Comparative Law Quarterly*, v. 1, 1952: 14–28. (DLC)

1244. György, Andrew, *joint author*. Governments of Danubian Europe. New York, 1949. 376 p.

1245. Habicht, Max. Post-war Treaties for the Pacific Settlements of International Disputes. Cambridge, Mass., 1931. 1109 p. (DLC)

1246. *Highlights of Current Legislation and Activities in Mid-Europe*. Mid-European Law Project, Law Library, Library of Congress (Washington, D. C.), v. 1–8, 1953–1960. Monthly. (DLC)

1246. 1. Ionescu, George A. Social Legislation in Romanian Agriculture. New York, 1954. 29 l. (DLC)

1246. 2. International Labor Office. Legislative Series. Geneva, 1919– (DLC)

> Contains translation of practically all labor laws and occasionally some other laws of general importance. Each entry is identified by the abbreviation Rum. Translation of each law is printed as a separate pamphlet.

1247. Koepfle, L. C. Copyright Protection Throughout the World. *Industrial Property Bulletin* (Washington), No. 83–89, 1936–37. (DLC)

1248. Labor Code of the Romanian People's Republic. Buc (?), n.d. 69 p. (DLC)

1249. Law for the Modification of the Mining Act of July 4, 1924. Decree no. 971, M. O., no. 71, March 28, 1929. Buc., 1929. 202 p. (DLC)

1250. Law Relating to Water Courses. Buc., 1924. 47 p. (DLC)

1251. Laws Concerning Nationality. New York, United Nations, Legislative Series, 1954. 594 p. (DLC)

1252. League of Nations Treaty Series; Publication of Treaties and International Engagements Registered with the Secretariat of the League. Geneva, 1920–1946. (DLC)

1253. Leeper, A. W. A. The Justice of Romania's Cause. London, New York, Toronto, 1917. 23 p. (DLC)

1254. Legal Publications. *Highlights,* No. 1246, v. 2, No. 7, 1954: 198–200. (DLC)

1255. Madgearu, Virgil N. Rumania's New Economic Policy. London, 1930. 63 p. (DLC)

1256. Maniu, Iuliu, *defendant.* Trial of the Former National Peasant Party Leaders: Maniu, Mihalache, Penescu, Niculescu-Buzesti and Others; After the Shorthand Notes. Buc., 1947. 228 p. (facsims.) (DLC)

1257. Möller, H. A. *and* Harry Wolff. Handbook of Foreign Legal Procedure. Legal Relations in Europe. London, 1924. 503 p. (DLC)

1258. The Monetary Law. A Law for Creating the Kingdom of Romania Autonomous Monopoly Institute. Promulgated by Royal Decrees No. 359 and 360, M. O. No. 30 bis, February 7, 1929. Buc., Ministry of Finance, 1929. 113 p. (DLC)

1258. 1. Murville, Dean M. A. (a) Administration of Justice. Romania. *In* No. 1242: 789–812. (DLC); (b) The Regime and the Origin. Romania. *Ibid.*: 368–395. (DLC); (c) Sovietization of Civil Law. *Ibid.*: 1345–1361. (DLC)

1258.2. Murville, Dean M. A. *and* Anton Wekerle. Land and Peasant. Romania. *In* 1242: 1852–1877. (DLC)

1259. Nationality of Married Women. New York, United Nations, Commission on the Status of Women. 1950. 74 p. (DLC)

1260. The New Legal Status of the Nationalities in Romania. Law No. 86, Feb. 7, 1945 and Law No. 630, Aug. 6, 1945. Buc., 1946. 13 p. (DLC)

1261. New Romanian Criminal Legislation. *Highlights,* No. 1246, v. 2, No. 1, 1954: 18–24; No. 2: 42–47. (DLC)

1262. Organization of the Bar. *Highlights,* No. 1246, v. 3, No. 4, 1955: 125–129. (DLC)

1263. Peaslee, A. J. Constitutions of Nations. Rumania. Concord, N. H., v. 3, 1950: 34–48. (DLC); The Hague, v. 3, 1956: 236–253. (DLC)

1264. Popp, Alexandru, *defendant.* Trial of the Group of Plotters, Spies, and Saboteurs; Full Account of the Proceedings before the Bucharest Military Tribunal on October 27th-November 2nd, 1948. Buc., 1949. 163 p. (DLC)

1265. Property and Inheritance Rights of Peasant Members of the Collective Farms. *Highlights,* No. 1246, v. 2, No. 5, 1954: 149–152. (DLC)

1266. The Rights of Roumania Founded upon Treaties. By an Experienced Diplomatist. n.p., 1874. 46 p. (DLC)

1267. Ringrose, Hyacinthe. Marriage and Divorce Laws of the World. London, New York, 1911. 270 p. (DLC); Nice, 1924. 256 p.

1268. The Romanian Code of Commerce. Manchester, 1884.

1268. 1. Roumania at the Peace Conference. Paris, 1946. 145 p. (DLC)

1269. Stoicoiu, Virgiliu. (a) Air Laws and Treaties of the World. Romania (joint translation). 87th Congress, 1st session. Washington, D. C., 1961: 1022–1054. (DLC); (b) Inheritance Law in Romania. *Law in Eastern Europe* (Leyden), No. 5, 1961: 225–246. (DLC)

1270. Taxation of Foreign and National Enterprises. Geneva, League of Nations, Economic and Financial Commission. 1932–33. 5 v. (DLC)

1271. Texts of the Roumanian "Peace". (With maps). Washington, 1918. 206 p. (DLC)

1272. United Nations Treaty Series; Treaties and International Agreements Registered or Filed and Recorded with the Secretariat of the United Nations. New York, 1946/47– (DLC)

1272. 1. Vasiliu, Vasile Gheorghe. The Income Tax in Great Britain and Roumania; a Comparative Study. Buc., 1936. 416 p. (DLC)

1273. Vreeland, Hamilton. Validity of Foreign Divorces. Chicago, 1938. 355 p. (DLC)

1274. White, L. D. The Civil Service in the Modern State. Chicago, 1930. 563 p. (DLC)

1275. White, W. W. *and* B. G. Ravenscroft. (a) Patents Throughout the World. New York, 1928. 398 p.; 2nd ed. 1928. 398 p.; (b) Trade-Mark Laws of the World. New York, 1922. 1007 p. Suppl. 1952. (DLC)

1276. Youngmann, E. P. Mining Laws of Rumania. U. S. Department of Commerce, Bureau of Mines. Information Circular 6213. Washington, 1929. 18 p. (DLC)

B. In French

See also Nos.: 10; 55.4; 56.3; 103; 109; 111; 116; 159–161; 168; 190; 612; 717a; 949.3; 1195.1; 1217.

1277. Alevra, Demètre. L'impôt extraordinaire sur le capital en Roumanie. Paris, 1922. 105 p.

1278. Alexandresco, Dimitrie. Droit ancien et moderne de la Roumanie. Étude de législation comparée. Paris, 1897. 550 p. (DLC); Paris, Buc., 1898. 550 p. (DLC)

1279. Alexiano, Georges. Le statut des fonctionnaires publics en Roumanie. Bruxelles, 1935. 36 p. (DLC)

1280. Alexiano, G. *and* M. Antonescu, *joint authors.* Roumanie. *In* H. Lèvy-Ullmann *and* Mirkine-Guetzevitch, *editors.* La vie juridique des peuples. Paris, 1933. 452 p. (DLC)

1280. 1. Anagnosti, M. Le régime représentatif dans les Principautés roumaines. Buc. (?), 1868.

1281. Andréades, Stratis. Roumanie. *In* Le contencieux administratif des états modernes. Paris, 1934. (DLC)

1282. Angelesco, Alexandre C. L'abolition de l'incapacité de la femme mariée roumaine. Agen, 1933. 36 p. (DLC)

1283. Angelesco, C. Loi de l'enseignement particulier. Buc., 1925. 272 p. (DLC)

1284. Angelesco, G. Étude sur la Dobrogea au point de vue de l'organisation des pouvoirs publics. Paris, 1907. 260 p. (DLC)

1285. Angelescu, I. N. Histoire économique des roumains. Genève, 1919.

1286. Anghelesco, M. La propriété paysanne roumaine et l'égalité du partage successoral. Paris, 1913. 204 p.

1287. Arion, Const. De la puissance paternelle à Rome, en France et en Roumanie. Paris, 1878.

1288. Arion, Dinou C. Le "nomos georgikos" et le régime de la terre dans l'ancien droit roumain jusqu'à la réforme de Constantin Mavrocordat (hospodar de Moldavie et de Valachie) (1733–1769). Paris, 1929. 210 p. (DLC)

1289. Axente, Crisan T. Essai sur le régime représentatif en Roumanie. Paris, 1937. 564 p. (DLC)

1290. Badulesco, Victor V. (a) La question agraire en Roumanie et la Caisse rurale. Paris, 1914. 166 p.; (b) Les finances publiques de la Roumanie. Paris, 1923. 74 p. (DLC)

1291. Barash, Marco I. Les nouveaux aspects de la législation ouvrière en Roumanie. *Revue de droit social et droit commercial* (Lyon), No. 1, 1931.

1292. Barzanesco, Marguerite. La capacité juridique de la femme mariée en Roumanie. Paris, 1936. 195 p. (DLC)

1292. 1. Basilesco, Aristide. Le problème monétaire roumain. Paris, 1920. 116 p.

1293. Basilesco, N. La réforme agraire en Roumanie. Paris, 1919.

1294. Bercaru, Valeriu. La réforme agraire en Roumanie. L'ancienne et la nouvelle législation. Paris, 1928. 91 p. (DLC)

1295. Berg, Emeric. La condition juridique de l'enfant naturel en Roumanie. Paris, 1938. 190 p. (DLC)

1296. Bertrand, André. Roumanie. *In* Marc Ancel, *editor.* Condition de la femme dans la société contemporaine. Paris, 1938: 526–541. (DLC)

1297. Bibesco, G. Roumanie, d'Adrianople à Balta-Liman (1829–1849). Règne de Bibesco. Paris, 1893–1894. 2 v. (DLC) Vol. 2: Lois et décrets 1843–1848.

1298. Blaramberg, Nicolas. Essai comparé sur les institutions et les lois de la Roumanie, depuis les temps les plus reculés jusqu'à nos jours. Buc., 1885. 811 p. (DLC)

1299. Blumenthal, J., *translator.* Code de commerce du royaume de Roumanie (entré en vigueur le 1er/13 septembre 1887). Paris, 1889. 259 p. (DLC)

1300. Bobtschev, Stefan. La situation de la femme selon l'ancien droit bulgare et roumain. Sofia, 1931. 18 p. (DLC)

1301. Boeresco, B. (a) Mémoire sur la juridiction consulaire dans les Principautés-Unies roumaines. Paris, 1865. 62 p.; 2nd ed. Buc., 1869. (DLC); (b) La Roumanie après le Traité de Paris du 30 mars 1856. Préface par Royer-Collard [with French texts of the Romanian Principalities-Ottoman Empire bilateral treaties signed in 1393, 1460, 1513, and 1529]. Buc., 1869. 168 p. (DLC); (c) Examen de la Convention du 19 août relative à l'organisation des Principautés danubiennes, 1858. Paris, 1858. 61 p.; (d) Traité comparatif des délits et des peines au point de vue philosophique et juridique. Paris, 1857. 385 p. (DLC)

1301.1. Boéresco, C. De l'amélioration de l'état des paysans roumains. Paris, 1861.

1301.2. Boéresco, Michel B. Étude sur la condition des étrangers d'après la législation roumaine, rapprochée de la législation française. Paris, 1899. 348 p. (DLC)

1302. Bohl, Jean. Code de commerce roumain...(1887) comparé aux principaux codes de commerce européens. Paris, 1895. 470 p. (DLC)

1303. Bokor, Alexandre R. Les droits successoraux du conjoint survivant dans le droit roumain. Paris, 1934. 107 p. (DLC)

1304. Boldur, A. V. La Bessarabie et les relations russo-roumaines. La question bessarabienne et le droit international. Paris, 1927. 410 p. (DLC)

1305. Bonnemains, Edouard de and Romulus P. Voinesco. Loi roumaine sur la faillite (20 juin 1895) réglementant l'exercice des actions commerciales et leur durée, suivie du réglement du service et de la comptabilité des syndics près les tribunaux de districts (Livres III et IV du Code de commerce roumain. Art. 695 à 971). Paris, 1896. 112 p. (DLC)

1306. Bosianu, C. A. De l'action paulienne. Paris, 1851.

1307. Bostinesco Sckiulesci, Aurel G. Essai juridique...sur le droit de consolidation en matière de concession minière pétrolifère dans le droit roumain. Paris, 1912. 166 p. (DLC)

1308. Botis, Emil. Le contencieux administratif des travaux publics d'après la législation et la jurisprudence roumaines. Paris, 1934. 304 p.

1309. Bradeanu, Salvator A. La succession "ab intestat" et la réserve dans le droit hongrois et dans le droit autrichien de la Transylvanie. Contribution à l'étude de l'esprit du droit transylvain. Paris, 1929. 254 p. (DLC)

1310. Bratiano, J. C. La question religieuse en Roumanie. Paris, 1866. 16 p.

1311. Brunesco, C. Les droits historiques de la Transylvanie. Paris (?), 1918. 30 p.

1312. Budisteano, Radu. La condition juridique des minorités ethniques selon les derniers traités de paix. Le problème au point de vue roumain. Paris, 1927. 52 p.

1313. Bunescu, Valentin. Le principe démocratique dans les institutions de la Roumanie. Paris, 1930.

1314. Busdugan, C. N. Du mariage des roumains à l'étranger et des étrangers en Roumanie. Buc., 1900. 267 p.

1315. Cadere, Victor G. (a) Questions juridiques et diplomatiques roumaines. Préface par Htnry Capitant. Paris, 1936; (b) Théorie et pratique de l'assurance de responsabilité. Préface de Joseph Hemard. Paris, 1923. 242 p. (DLC)

1315.1. Calinesco, A. Le change roumain, sa dépréciation depuis la guerre, et son rétablissement. Paris, 1921. 132 p.

1315. 2. Cantilli, P. G. (a) De péage aux Portes de fer. Buc., 1900. 70 p.; (b) Le Danube sous le régime des traités. Buc., 1901. 93 p. (DLC)

1316. Caranfil, Georges. La Banque Nationale de Roumanie de ses origines à nos jours. Paris, 1922. 265 p. (DLC)

1317. Carra, Jean Louis. Histoire de la Moldavie et de la Valachie. Jassy, 1777. 223 p. (DLC); Neuchâtel, 1781. 371 p.

1318. Chabade, M. La Bessarabie et le droit de libre disposition des peuples. Par un bessarabien. Berne, 1919.

1319. Chiriac, Georges. Les assurances sociales en Roumanie. Paris, 1932.

1320. Christian, Tiberiu. Les assurances sociales en Roumanie. Paris, 1928. 98 p.

1321. Ciocalteu, Michel. Les régimes matrimoniaux dans le projet de Code civil roumain. Paris, 1936, 295 p. (DLC)

1322. Ciurea, Émile C. Le traité de paix avec la Roumanie du 10 février 1947. Préface de Suzanne Bastid. Paris, 1954. 284 p. (DLC)

1323. Code civil, livre I.—article 6–460; livre III.—articles 650–941 et 1223–1293. Code de procédure civile, livre V.—articles 406–466; livre VI.—articles 621–720. Règlement et formulaires concernant les actes d'état civil; Loi sur l'authentification des actes; formulaires. Buc., 1889. 211 p. (DLC)

1324. Code de la famille de la République populaire roumaine; Loi No. 4 du janvier 1954, modifiée par la Loi No. 4 du 4 avril 1956 (B. O. April 4, 1956). Buc., 1958. 103 p. (DLC)

1325. Codresco, Fl. La Petite Entente. Paris, 1931 (?). 2 v. (DLC)

1326. Cohen, J. (a) De la nationalité des societés commerciales en Roumanie. Buc., 1925; (b) Principes du projet de Code de commerce roumain. Agen, 1931.

1327. Colson, Felix. (a) De l'État présent et de l'avenir des Principautés de Moldavie et de Valachie. Paris, 1839; (b) Précis des droits des Moldaves et des Valaques fondé sur le droit des gens et sur les traités. Paris, 1839. (Translated into Romanian by D. A. Sturza, Jassy, 1856).

1328. Condurachi, J. Recherches sur l'ancienne organisation judiciaire des roumains. Paris, 1913. 197 p.

1329. Conseil législatif. Exposé sommaire des principales lois, 1935–1939. Buc., 1937–1940. 5 v. (DLC)

1330. Constantinesco, M. (a) Les dérogations à la transmission du droit de propriété selon les lois agraires roumaines. Paris, 1928. 188 p. (DLC); (b) L'évolution de la propriété rurale et la réforme agraire en Roumanie. Buc., 1925. 479 p.

1331. Constitution du 30 juin (12 juillet) 1866, avec les modifications y introduites en 1879 et 1884. Buc., 1884. 63 p. (DLC)

1332. Constitution. Buc., 1923. 28 p. (DLC)

1333. Constitution du 27 février 1938. Buc., 1938. 20 p. (DLC)

1333. 1. Coroi, I. N. La violence en droit criminel romain. Paris, 1915. 361 p.

1334. Costieni, Aristide L. Introduction des sociétés à responsabilité limitée en Roumanie. Paris, 1933. 153 p. (DLC)

1335. Costin, Alex. Revue de la jurisprudence agricole de la Cour de Cassation de Roumanie. *Bulletin international du droit agraire,* v. 1, No. 2, 1940: 180–189.

1336. Crasnaru, C. Théorie de la complicité dans le droit roumain. Paris, 1909. 136 p.

1337. Croze, J. A. de. De la situation de la Valachie sous l'administration d' Al. Ghika. Paris, 1842.

1337. 1. Danielopol, Gheorghe. La théorie des exceptions en droit romain. Buc.?, 1901.

1338. Decusara, E. Les délits de presse dans la législation roumaine. Paris, 1912. 241 p. (DLC)

1339. Dimitrescu, D. De l'autorisation de justice accordée à la femme mariée. Paris, 1896. 165 p.

1340. Dimitrescu, G. De la condition juridique des enfants illégitimes en Roumanie. Paris, 1922. 200 p.

1340.1. Dimitriu, C. D. Le problème administratif en Roumanie. Buc., 1926. 207 p. (DLC)

1341. Dissesco, Constantin G. (a) Les origines du droit roumain. Traduit du roumain par J. Last. Paris, 1899. 74 p. (DLC); (b) De la puissance du mari sur la personne et les biens de la femme. Paris, 1878.

1342. Djuvara, Mircea. (a) Considérations sur la structure de la connaissance morale et juridique. *Pandectele romậne* (Buc.), pt. 4, 1940: 6–14. (DLC); (b) La nouvelle constitution roumaine et son esprit. Paris, 1936; (c) Origines historiques de la doctrine du droit de la nature et des gens. Buc., 1940.

1343. Djuvara, Neagoe M. La législation roumaine en matière de nationalité . . . Paris, 1940. 158 p. (DLC)

1344. Djuvara, T. Étude sur la propriété industrielle en Roumanie. Paris, 1900.

1345. Docan, G. P. (a) Code comparé des obligations. Buc., 1937. 432 p. (DLC); (b) Le contrat d'édition en droit roumain. *Pandectele romậne* (Buc.), pt. 4, 1937: 92–101. (DLC)

1345.1. Documents diplomatiques. Question de la reconnaissance de la Roumanie. Paris, Ministère des affaires étrangères, 1879–80. 2 v. (DLC)

1346. Dorobantzou, B. De la tentative spécialement dans le droit roumain. Paris, 1907. 125 p.

1347. Dragomiresco, P. De la condition juridique des sociétés commerciales étrangères en Roumanie. Paris, 1909. 127 p.

1348. Duca, J. Les sociétés coopératives en Roumanie. Paris, 1902. 210 p.

1349. Economo, D. (a) Les phases de la propriété foncière en Roumanie jusqu'aux lois agraires de 1907. Paris, 1911. 231 p.; (b) La publicité de l'hypothèque légale de la femme mariée. Paris, 1911. 151 p.

1350. Economu, C. De la nature et des effets des nullités des sociétés par actions constituées irrégulièrement; étude comparative de la loi française et des législations étrangères à cet égard (lois allemande, anglaise, belge, italienne et roumaine). Paris, 1909. 163 p.

1351. Eliade-Radulescu, Ion. (a) Mémoire sur l'histoire de la régénération roumaine et sur les évènements de 1848. Paris, 1851. 408 p. (DLC); (b) Le protectorat du czar. Paris, 1850.

1351. 1. Est-ce légal? La Roumanie, le Congrès. La situation actuelle. Paris, 1859. 32 p. (DLC)

1352. Extraits de la législation de la Roumanie. Code civil, Code de procédure civile. Buc., 1889. 211 p.

1353. Filipesco-Dubau, Eugen. Explication du Code civil roumain. Jassy, 1873.

1353. 1. Filipescu, Constantin N. Mémoire sur les conditions d'existence des Principautés danubienne. Paris (?), 1848 (?).

1354. Filitti, Jean C. Les Principautés roumaines sous l'occupation ruse (1828–1834). Le Règlement Organique. Étude de droit public et d'histoire diplomatique. Buc., 1904. 285 p. (DLC)

1355. Fischer, Aizic. Le concordat préventif en droit roumain et comparé. Paris, 1931. 202 p. (DLC)

1356. Fischer, Otto S. Les traités commerciaux de la Roumanie d'après guerre. Paris, 1931. 95 p.

1357. Flaislen, G. G. De l'initiative consulaire en fait de tutelle et de curatelle surtout en ce qui concerne la Roumanie. Paris, 1891. 89 p. (DLC)

1358. Fotino, Georges. (a) Contribution à l'étude des origines de l'ancien droit coutumier roumain; un chapitre de l'histoire de la propriété au moyen âge. Paris, 1925. 460 p. (DLC) ; (b) Étude sur la situation de la femme dans l'ancien droit roumain. Paris, 1931.

1359. Gabrielesco, Serban. L'évolution de la législation des chemins de fer en Roumanie. Paris, 1938. 109 p. (DLC)

1360. Gane, A. (a) Le Conseil législatif en Roumanie. *Bulletin de la Société de législation comparée* (Buc.), 1929: 506 ff; (b) Le régime minier roumain et la nationalisation du sous-sol. Paris, 1924; (c) Les solutions écononmiques roumaines. La commercialisation des entreprises d'État. Le text complet de la loi roumaine du 6 juin 1924. Paris, 1924.

1361. Ganesco, G. La Valachie depuis 1830 jusqu'à ce jour, son avenir. Paris, 1855.

1362. Georgesco-Olenin, St. Les régies publiques commerciales en droit roumain. *Pandectele române* (Buc.), pt. 4, 1932: 93–102. (DLC)

1363. Georgescu, Val. Al. (a) Essai d'une théorie générale des "leges privatae." Paris, 1932; (b) Études de philologie juridique et de droit romain. Préface de N. I. Herescu. Buc., 1940. 530 p.; (c) La reception du droit romano-byzantin dans les Principautés roumaines (Moldavie et Valachie). *In* H. Lévy-Bruhl. Mélanges. Droit romain et sociologie juridique. Paris, 1958.

1364. Gheorghiu-Ciafi, Anastasie Hr. La législation douanière roumaine comparée aux législations étrangères. Paris, 1932. 441 p. (DLC)

1365. Ghica, Jean T. (a) Les droits de péage aux Portes de fer. Paris, 1899. 37 p. (DLC); (b) La propriété littéraire et artistique en Roumanie. Paris, 1900. 173 p. (DLC); 2nd ed. Buc., 1906. 195 p. (DLC)

1366. Golesco, A. G. De l'abolition du servage dans les Principautés danubiennes. Paris, 1856. 156 p.

1367. Golescu, L. La loi rurale de 1864 et la statistique des paysans devenus propriétaires. Buc., 1900.

1368. Grammont, L. A. de. De l'administration provisoire russe en Valachie et de ses résultats. Buc., 1840.

1369. Gruia, Ion V. Réorganisation du travail dans les administrations publiques, en fonction des idées et des faits actuels. *Pandectele săptămânale* (Buc.), 1933: 505–508. (DLC)

1370. Gusti, An. Le contrat de travail. Paris, 1909.

1371. Hallunga, Al. L'évolution et la révision récente du tarif douanier en Roumanie. Paris, 1928. 350 p. (DLC)

1372. Hamangiu, C. La législation de la propriété littéraire et artistique. Les droits des auteurs roumains et étrangers. Buc., 1906.

1373. Hasdeŭ, B. P. Histoire de la tolérance religieuse en Roumanie. Buc., 1876.

1374. Ianculescu, Victor. La Petite Entente et l'Union européene. Paris, 1931. 191 p.

1375. Ilarian, Papiu. Question économique des Principautés danubiennes. Paris, 1850.

1376. Ioanitzescu, D. R. La législation du travail en Roumanie. Buc., 1926.

1377. Ionascu, Aurelian. (a) L'aspect juridique des revendications et des proclamations nationales formulées au cours de l'histoire par la Nation Roumaine de Transylvanie. Buc., 1944; (b) La copropriété d'un bien. Paris, 1930. 308 p. (DLC)

1378. Ionașcu, Traian R. L'évolution de la notion de cause dans les conventions à titre onéreux. Étude de la doctrine et de l'extention de la notion de cause en jurisprudence. Paris, 1923. 400 p. (?)

1379. Ionesco, Bogdan. Anomalies juridiques dans le droit roumain. Buc., 1920.

1380. Ionesco, N. Le divorce dans l'Église orthodoxe, suivie d'un exposé des divergences entre les lois civiles roumaines et les lois ecclésiastiques en matière de mariage. Paris, 1925. 167 p.

1381. Ionescu, Octavian. La notion de droit subjectif dans le droit privé . . . Paris, 1931. 224 p. (DLC)

1382. Ionescu, Stelian. La théorie de la représentation et la condition juridique du gouverneur de la Banque Nationale de Roumanie. *Pandectele române* (Buc.), pt. 4, 1932: 161–173. (DLC)

1383. Iorga, Nicolae. (a) Anciens documents de droit roumain, avec une préface contenant l'histoire du droit coutumier roumain. Paris, Bucurest, 1930–31. 2 v. (DLC); (b) Développement de la question rurale en Roumanie. Jassy, 1917. 58 p.; (c) Droit des roumains sur leur territoire national unitaire. Buc., 1919. 33 p.; (d) Droits nationaux et politiques des roumains dans la Dobrogea. Iaşi, 1917; (e) Conférence sur l'origine du droit roumain. Buc., 1922; (f); Histoire de la Constitution roumaine. Buc., 1924; (g) La politique des minorités en Roumanie. *Le Monde slave* (Paris), 1926: 22ff.; (h) Réponse aux conférences données à Cambridge par le compte Bethlen sur la révision du Traité de Trianon. Buc., 1933. 12 p. (DLC)

1384. Josif, Jean. Le problème de la responsabilité pénale des institutions de crédit en Roumanie et la crise économique d'après-guerre. Paris, 1936. 182 p. (DLC)

1385. Jèze, Gaston. L'inconstitutionalité de la loi sur l'assainissement des dettes agricoles [en Roumanie]. *Pandectele săptămânale* (Buc.), 1933: 97–103; 145–154; 169–178. (DLC)

1386. Kalindéro, Jean. (a) Droit prétorien et réponses des prudents. Paris (?), 1885. 210 p. (DLC); (b) Étude sur le régime municipal romain. Buc., 1887; (c) Notice juridique sur un testament. Paris, 1889. 80 p.

1387. Lampué, Pierre. Le régime roumain du contentieux administratif. Nancy, 1928. 24 p.

1388. Lazareano, Nicolas. La nouvelle loi minière en Roumanie du 4 juillet 1924. Paris, 1927.

1389. Lecca, O. Formation et développement du pays et des États roumains. La Valachie au XIIIᵉ siècle et au XIVᵉ siècle, la Moldavie au XIVᵉ siècle. Paris, 1922. 76 p. (DLC)

1390. Lévy, Pierre Roland. Procès Maniu. Paris, 1947 (?). 13 p. (DLC)

1391. Loi de l'enseignement primaire de l'État (écoles de jeunes enfants . . .) et de l'enseignement normal-primaire. Buc., 1925. 241 p. (DLC)

1392. Lois de mines. Buc., 1924. 123 p. (DLC)

1393. Loi portant modification à la loi de mines . . . promulguée par Décret royal No. 971 du 27 mars 1929. Buc., 1929. 215 p. (DLC)

1394. Loi pour l'organisation et l'administration des entreprises et des biens publics sur des bases commerciales. Buc., 1929. 99 p. (DLC)

1395. Loi pour l'unification des contributions directes et pour l'institution de l'impôt sur le revenu global. Bratianu, Vintilă, *editor.* Buc., 1923. 68 p. (DLC)

1395. 1. Les lois roumaines de réforme agraire devant le Tribunal arbitrale mixte roumano-hongrois. Quelques types d'affaires. Paris, 1926 (?) 95 p. (DLC)

1396. Longinescu, S. G. Anciennes lois roumaines et leurs sources. Buc., 1908 (?)

1397. Macovei, Ioan. Le régime électoral de la représentation nationale en Roumanie. Paris, 1928. 188 p.

1398. Mandrea, Radu N. Étude sur la magistrature roumaine. Paris, 1903. 194 p. (DLC)

1399. Maniu, Iuliu, *defendant.* (a) L'acte d'accusation, le réquisitoire et le verdict dans le procès des dirigeants de l'ancien parti national-paysan: Maniu, Mihalache, Penesco, Grigore Niculesco-Buzesti et autres. Buc., 1947. 113 p. (DLC); (b) Le procès des dirigeants de l'ancien parti national paysan: Maniu [et al.] d'après le compte-rendu sténographique. Buc., 1947. 247 p. (DLC) (Microfilm).

1399.1. Mano, J. L'union des Principautés roumaines (étude d'histoire diplomatique et de Droit inttrnational). Paris, 1900. 194 p.

1400. Marcovici, J. L'hypothèque en droit roumain. Étude de droit comparé. Paris, 1923. 114 p.

1401. Marinesco, Constantin Georges. Droit romain: Des actions qui naissaient des legs au profit des legataires. Droit français: des conditions exigées pour la constitution des sociétés anonymes en France, Allemagne, Belgique, Italie, Roumanie et Suisse, étude de législation comparée. Paris, 1889. 475 p. (DLC)

1402. Marinesco, G. Code des conventions collectives conclues pour le règlement des dettes privées à l'étranger et des lois respectives; l'imprévision et les paiements en monnaie forte, collection des lois concernant le moratorium et les devises, commentaires, jurisprudences. Buc., 1926. 428 p. (DLC)

1403. Martens, Georg Friedrich von, *editor.* Nouveau recueil de traités d'alliance, de paix, de trêve . . . et de plusieurs autres actes . . . depuis 1808 jusqu'à présent. Gottingue, 1817— (DLC)

1404. Mateesco, Jean S. L'obligation unilatérale et le Code civil. Paris, 1919. 251 p.

1405. Meitani, G. Le pouvoir constituant en Roumanie. Paris, 1901. 190 p.

1406. Mélanges Paul Negulesco. Buc., 1935. 865 p. (DLC)

1407. Mira, Constantin D. Juridictions administratives roumaines. Les cours administratives. Paris, 1938. 258 p. (DLC)

1408. Moldovan, Mircea C. L'ordre public en droit international privé. Paris, 1932. 209 p. (DLC)

1409. Moruzi, Jean P. Innovations apportées par les décrets—lois de 1939–1941 à la législation pénale spéciale roumaine. Buc., 1942. 48 p.

1410. Moruzi, N. Le régime juridique du sous-sol minier en Roumanie. Loi des mines de 1924. Paris, 1926. 195 p.

1411. Moruzi, P. A. Progrès et liberté. Commerce-finance-agriculture dans les Principautés Unies. Galați, 1861.

1412. Mosandrei, M. La cooperation forestière en Roumanie. Paris, 1926.

1413. Mototolescu, D. D. La succession de la veuve pauvre. Cluj, 1941. 32 p.

1414. Munteano, G. L'organisation judiciaire en Roumanie (en matière civile). Paris, 1909. 188 p.

1415. Munteano, I. La corruption des fonctionnaires publics en droit pénal roumain. Genève, 1931.

1416. Nagy, Zoltan. Les régimes légaux des coopératives en Transylvanie. Dijon, 1934. 276 p. (DLC)

1417. Nassé, Sotir G. Histoire du droit public sanctionnateur et de la juridiction administrative en Roumanie. Paris, 1924. 289 p.

1418. Negulesco, Démètre. (a) Mémoire sur la condition juridique des sociétés étrangères en Roumanie. *Revista de drept și sociologie* (Buc.), No. 7, 1902; (b) Le problème juridique de la personalité morale. Paris, 1900. 217 p.; (c) La Roumanie et le principe des nationalités. Paris, 1919. 36 p.

1419. Negulesco, Paul. (a) Le contentieux des actes administratifs en Roumanie. Paris, 1910; (b) Étude sur la protimis dans l'ancien droit roumain. *Nouvelle revue historique de droit français et étranger* (Paris), mars-avril 1899; (c) Histoire du droit et des institutions de la Roumanie. Paris, 1898. 312 (?) p.; Buc., 1899; (d) Les principes de la loi électorale roumaine du 27 mars, 1926. *Revista de drept public* (Buc.), 1927: 515–522. (DLC); (e) La théorie de l'acte de gouvernement. *Ibid.*, 1926: 518–538. (DLC); (f) La suprématie de la Constitution assurée par le jugement de la constitutionnalité des lois. *Ibid.*, 1931: 5 ff.

1420. Netter-Comarnesco, J. L'inaliénabilité de la propriété rurale en Roumanie d'après la loi du 15 août 1864. Paris, 1910. 297 p.

1421. Nicolau, A. Propriété littéraire et artistique en Roumanie. Paris (?), 1906.

1421. 1. Nicolau, Mathieu G. Les dispositions d'origine romano-bizantine dans le code civil roumaine. *In* Mélanges Paul Fournier. Paris, 1929: 587–598. (DLC)

1422. Obedenaru, Mihail. La Roumanie économique. Paris, 1876.

1423. Oliva, T. Le contentieux des actes administratifs en Roumanie. Paris, 1922. 84 p.

1424. Oresco, V. Le contrôle de la constitutionnalité des lois en Roumanie. Paris, 1929. 148 p. (DLC)

1425. Orleanu, Michel. Esquisse sur l'évolution constitutionnelle de la Roumanie de 1821 à 1859. Paris, 1935. 145 p. (DLC)

1426. Oroveanu, Dimitrie. La séparation des pouvoirs administratif et judiciaire et le contentieux administratif en Roumanie. Paris, 1936. 239 p. (DLC)

1426. 1. Pascu, Iuliu. Le droit et la procédure policière; une nouvelle branche du droit public. Buc., 1936. 130 p. (DLC)

1427. Pascu, N. Le régime constitutionnel du 12 février, 1938. Buc., 1946.

1428. Pascu, Septimiu. Les conflits collectifs de travail en Roumanie. Lille, 1928. 143 p.

1429. Paveleanu, Paul. De la compétence des tribunaux roumains au regard des plaideurs étrangers. Paris, 1907. 98 p. (DLC)

1430. Pelivan, I. G. Les droits des roumains sur la Bessarabie [in French and English]. Buc., 1920. 24 p. (DLC)

1430. 1. Pella, Vespasien V. La guerre-crime et les criminels de guerre. Reflexions sur la justice pénale internationale ce qu'elle est et ce que'elle devrait être. Genève, Paris, 1946. 208 p. (DLC)

1431. Penesco, N. Limites à l'exercise du droit contractuel. Paris, 1923.

1432. Peretz, J. Histoire de la vente en droit roumain. Paris, 1904. 342 p.

1432. 1. Petrascu, Nicolas N. La réforme agraire roumaine et les réclamations hongroises. Préface par Albert Wahl. Buc., 1931. 147 p. (DLC)

1433. Phérékyde, Grégoire. (a) Le contrat de travail et la théorie de l'abus des droits. *Pandectele române* (Buc.), pt. 4, 1932: 273–279. (DLC); (b) Le problème de la lésion. *Ibid.*, 1932: 203–208. (DLC)

1434. Pič, Josef Ladislav. Les lois roumaines et leur connexité avec le droit byzantin et slave. Buc., 1887. 60 p. (DLC)

1435. Picot, Émil. (a) Chroniques de Moldavie depuis le milieu du XIVe siècle jusqu'à 1594. Paris, 1876; (b) La question des israélites roumains au point de vue du droit. Paris, 1868. 32 p. (DLC)

1436. Plastara, Georges. (a) Annexion et nationalité. Lois organiques de la Dobroudja. Buc., 1916. 46 p. (DLC); (b) Les conditions légales des travailleurs en Roumanie. Buc., 1925; (c) Du droit de réduction des conventions excessives. Paris, 1914; (d) Droit international privé de la Roumanie. *In* Répertoire de droit international privé, Paris, v. 7, 1930: 41–78. (DLC)

1437. Popesco, Dimitri G. Le Pacte d'Athènes (9 février 1934) et le problème du rapprochement balcanique. Paris, 1936. 166 p. (DLC)

1438. Popesco, Sebastian. La Constitution roumaine du 27 février 1938 et ses principes. Paris, 1939. 164 p. (DLC)

1439. Popesco-Ramniceano, René. De la représentation dans les actes juridiques en droit comparé. Paris, 1927. 716 p. (DLC)

1440. Popp, Stefan S. De la condition juridique des sociétés étrangères en Roumanie. Paris, 1929. 353 p. (DLC)

1441. Possa, M. Aperçu de l'évolution du droit international privé en Roumanie, de 1865 à nos jours. *Pandectele romăne* (Buc.), pt. 4, 1932: 225–230. (DLC)

1442. Projet de Code civil pour la Bessarabie, 1824–1825. St. Pétersbourg, 1914. 273 p. (DLC)

1443. Poulopol, E. La justice administrative roumaine. *Bulletin de la Société de législation comparée* (Paris), 1931.

1443.1. Quinzeu (Kinez), Emanoil. Les Principautés danubiennes devant le droit public. Paris, 1848 (?).

1444. Radulesco, Alexandre Radu F. Le contrôle de la constitutionnalité des lois en Roumanie. Paris, 1935. 140 p. (DLC)

1445. Radulescu, Andrei. (a) Le droit roumain en Bessarabie. Buc., 1943; (b) L'influence belge sur le droit roumain. Communication faite en séance public de l'Académie Roumaine le 13 février 1932. Bruxelles, 1932. 59 p. (DLC); (c) L'influence italienne sur le droit roumain. Buc., 1943. 18 p.; (d) Quatrevingts ans du passé de la Cour de Cassation. Buc., 1944; (e) La romanité du droit roumain. Buc., 1942. 27 p.; (f) Ressemblances entre les idées primitives dans la Bretagne contemporaine et celles du peuple roumain. Paris, 1932. 34 p. (DLC)

1446. Raicoviceanu, N. La loi du 16 novembre 1912 et l'action en déclaration de la paternité naturelle. Paris, 1913.

1447. Rarincesco, Constantin G. (a) Contentieux administratif roumain. *Pandectele săptămânale* (Buc.), 1933: 313–325. (DLC); (b) Le contentieux administratif roumain. Rapport au Ve Congrès international des sociétés administratifs. Buc., 1933; (c) Les pouvoirs de l'État et le principe de la séparation des pouvoirs dans la nouvelle Constitution du 27 février 1938. Buc., 1939. 36 p.; (d) Le recours contre la puissance publique "Roumanie". Paris, 1933.

1448. Razi, G. M. La Constitution de la République populaire de Roumanie. Agen, 1951. 37 p. (DLC)

1449. Réforme agraire en Roumanie et les optants hongrois de Transylvanie devant la Société des Nations. Études rédigées par

MM. A. Alvarez, J. Appleton, Et. Bartin, J. Basdevant, H. Berthélémy, J. Brierly, R. Cassin, J. Diena, L. Duguit, A. Higgins, Ed. His, G. Jèze, L. LeFur, J. Limburg, Ch. Lyon-Caen, J. de Montmorency, P. Pic, M. Picard, N. Politis, A. Prudhomme, R. Redslov, A. Rolin, W. Schücking, M. Sibert, A. Sottile, K. Struff, Donnedieu de Vabres, Ch. de Visscher, A. Wahl, Y. de La Brière, H. Capitant, A. Cavaglieri, Descamps, P. Fedozzi, H. La Fontaine, S. Gemma, A. Lenard, Barbosa de Magalhaes, Th. Niemeyer, A. Salandra, Q. Saldana, G. Salvioli, M. de Taube, L. Trotabas et J. de Yanguas. Paris, 1927–1928. 2 v.

1450. La réforme monétaire et la baisse des prix dans la République populaire roumaine. Buc., 1952. 70 p. (DLC)

1451. Resmeritza, N. Essai d'économie roumaine moderne 1831–1931. Paris, 1931. 411 p.

1451. 1. Rey, Francis. La question israélite en Roumanie. Paris, 1903.

1452. Rolland, Louis. Contentieux administratif roumain et français. *Revista de drept public* (Buc.), 1928: 265–287. (DLC)

1453. Rosen, J. De la récidive dans le droit pénal roumain. Paris, 1907. 255 p.

1453.1. La Roumanie devant le Congrès de la Paix; le territoire revendiqué... Paris, 1919. 10 p. (DLC)

1454. Rusu, Dragos *and* Radu Cancer, *editors.* La nouvelle Constitution roumaine du 27 février 1938. Bordeaux, 1938. 32 p.

1454.1. Russu-Sirianu, Mircea. Situation juridique des Roumains de Transylvanie. Paris, 1916. 440 p.

1455. Saint Clair, André de. Le Danube. Étude de droit international. Paris, 1899. 220 p. (DLC)

1456. Scheyven, A. La législation roumaine sur les sociétés commerciales. Bruxelles, 1904.

1456. 1. Serdaru, Virgiliu-Stef. Le pétrole roumain. Aperçu historique, économique, politique, législatif. Chiffres-interprétations, 1825–1920. Nationalization ou participation des capitaux étrangers? Paris, 1921. 168 p. (DLC)

1457. Sofronie, George. (a) L'Acte de Vienne (du 30 août 1940) "Diktat," non pas "sentence arbitrale." Buc., 1945. 32 p.; (b) La position internationale de la Roumanie. Étude juridique et diplomatique. Buc., 1938. 162 p.; (c) Le principe des nationalités et les traités de paix de 1919–1920. (Les frontières de la Roumanie intangibles en vertu du principe des nationalités. Le manque de fondement de l'action revisioniste magyare). Paris, 1938.

1457. 1. Soutsos, Nikolaos. Mémoires du Prince Nicolas Soutzo, grandlogophète de Moldavie, 1798–1871, publiés par Panoïoti Rizos. Vienne, 1899. 434 p. (DLC)

1457. 2. Spulber, C. A. (a) L'éclogue des Isauriens. Cernăuți, 1929; (b) Les novelles de Léon le Sage. Cernăuți, 1934.

1457.3. Stambler, B. Les Roumains et les Bulgares. Le traité de Bucharest (1913). Paris, 1914. 215 p. (DLC)

1458. Stanesco, Basile. La capacité civile de la femme mariée en Roumanie après la nouvelle loi du 20 avril, 1932. Préface de Julliot de la Morandière. Paris, 1937. 454 p. (DLC)

1459. Stanesco-Teodoru, Grégoire. Principes de contentieux administratif roumain. Legislation, doctrine, jurisprudence. Paris, 1934. 282 p. (DLC)

1460. Stoicescu, Constantin C. Contribution à l'étude de la formule arbitraire. Berlin, Paris, 1905. 76 p .

1461. Stoicesco, Constantin. De l'enrichissement sans cause. Paris, 1904.

1461. 1. Stoicescu, Constantin J. Étude sur la naturalisation en droit roumain, en droit civil et dans le droit des gens. Paris, 1876. 363 p. (DLC)

1462. Stoicovici, Vasile. Assurance maritime. Buc., 1943.

1463. Stourdza, Alexandru A. C. La femme en Roumanie. Sa condition juridique et sociale dans le passé et le présent. Paris, 1911. 158 p. (DLC)

1464. Strat, George. La liberté syndicale en Roumanie. Buc., 1927. 68 p.

1465. Sturdza, Dimitrie A. (a) Mémoire sur la formation de la Haute Cour Internationale de Justice. Buc., 1908; (b) Mémoire sur les règlemtnts ... etc., edicté par le Gouvernement royal de Hongrie. La question des bouches du Danube. Berlin, 1899; (c) Les travaux de la Commission européene des bouches du Danube, 1859 à 1911. Vienne, 1913. 248 p. (DLC)

1466. Sturdza, Mihail Voevod. Quinze années d'administration en Moldavie. Paris, 1856.

1467. Sturdza (Michel) et son administration. Paris, 1846.

1468. Suciu, Alexandre. De la nationalité en Roumanie. Paris, 1906. 323 p. (DLC)

1469. Suliotis, C. La réforme judiciaire en Roumanie. Paris (?), 1890.

1470. Suto, Nicolae. Aperçu sur les causes de la gêne et sur les besoins industriels de la Moldavie. Iaşi, 1838.

1471. Tanoviceano, J. La question juive en Roumanie au point de vue juridique et social. Paris, 1882. 40 p.

1472. Tasca, G. Considérations sur les lois relatives à la propriété rurale en Roumanie, Angleterre et Irlande. Paris, 1907. 352 p.

1472.1. Tatarasco, G. Le régime électoral et parlementaire en Roumanie. Paris, 1912. 192 p.

1473. Tenchéa, J. La personalité juridique en droit roumain. Texte et commentaire de la loi du 6 février 1924. Paris, 1930.

1474. Teodoresco, Anibal. (a) L'emploi par analogie, des règles du droit civil comme règles générales juridiques dans le droit administratif. Revista de drept public (Buc.), 1929: 428–437. (DLC); (b) Les lois roumaines et les étrangers. Paris, 1905. 353 p.

1474.1. Teodoresco, Julian. Théorie de la complicité (étude de législation comparée). Paris, 1900. 144 p.

1475. Teodoresco, P. Les contrats agricoles en Roumanie. Paris, 1912.

1476. Téodorini, E. Du droit successoral de l'époux survivant dans la législation roumaine comparée aux législations récentes. Paris, 1911. 173 p. (DLC)

1477. Tilman-Timon, A. Les actes constitutionnels en Roumanie de 1938 à 1944. Buc., 1947.

1478. Titulesco, N. (a) Mémoire du Gouvernement royal de Roumanie concernant la proposition du 9 mars 1928 dans l'affaire des optants hongrois de Transylvanie. Paris, 1928. 108 p. (DLC); (b) La réforme agraire en Roumanie et les optants hongrois de Transylvanie. Paris, 1924. 188 p.

1479. Tocilesco, G. G. (a) Jus accrescendi. De la révocation des testaments. La tentative. Paris, 1880; (b) Étude historique et juridique sur l'emphytéose en droit romain, en droit français, et en droit roumain. Paris, 1883. 467 p.

1480. Traité de commerce entre la Roumanie et la Russie. Tratatul de comerciu între România şi Rusia. Buc., 1887. 21 p. (DLC)

1481. Le Traité de paix de Bucarest du 28 juillet (10 août) 1913 précédé des protocoles de la conférence. Buc., 1913. 87 p. (DLC)

1482. Trancu-Iaşi, Gr. L. (a) La législation sociale en Roumanie. Buc., 1936; (b) La réglementation des conflits collectifs du travail en Roumanie. Buc., 1926. 50 p. (DLC)

1483. Troisième Congrès international de droit pénal. Rapports préparatoires. Roma. Publiés par les soins du Commité d'organization du Congrès, 1933: Reports by J. Radulesco: 83–93; J. Moruzi: 149–153; G. Vrabiesco: 409–414; C. Chiselitza and C. Vasiliu: 457–464; J. Teodoresco: 543–548. (DLC)

The same published by the Commission nationale italienne de coopération intellectuelle.

1484. Vacareanu, E. La "protimésis" en droit roumain. Paris, 1909. 142 p.

1485. Vallimaresco, [Alexandru (?)]. Modifications du Code civil et dérogations à ses principes dans la législation roumaine d'après guerre. *Bulletin de la Société de législation comparée roumaine* (Buc.), 1936: 426 ff.

1486. Velescu, Alex. La procédure civile roumaine. *Bulletin de la Société de législation comparée roumaine* (Buc.), 1930: 138–161.

1487. Veniamin, Virgil. (a) Roumanie. *In* P. Grunebaum-Ballin *and* R. Petit. Les conflits collectifs du travail et leur règlement dans le monde contemporain. Paris, 1954: 257–260. (DLC); (b) Roumanie. *In* Gabriel Le Bras *and* Marc Ancel. Divorce et séparation de corps dans le monde contemporain. Paris, 1952: 259–273. (DLC)

1488. Voïculesco, Jean Th. Essais critiques sur la loi roumaine de liquidation des dettes agricoles et urbaines du 7 avril 1934. Paris, 1935. 175 p. (DLC)

1489. Voinesco, D. La théorie des actes de Gouvernement en droit public roumain. Paris, 1932.

1490. Vrabiesco, G. Le Conseil législatif de Roumanie. *Revue des sciences politiques* (Paris?), 1929: 481 ff.

1490. 1. Vrabiesco, Georges G. Différend roumano-bulgare de 1913 (Réponse à une conférence). Roumanie & Serbie. Deux conférences. Paris, 1914. 31 p. (DLC)

1491. Vrabiescu, Nicolas G. Les obligations naturelles et les devoirs moraux. Paris, 1922 (?). 188 p.

1492. Vulpesco, M. Les coutumes roumaines périodiques. Paris, 1927.

1493. Weisz, Bernat. Liquidation des dettes agricoles et urbaines roumaines. Grenoble, 1935. 192 p. (DLC)

1494. Zamfiresco, Henry. Les origines du droit privé roumain. Paris, 1923. 156 p.

C. In German

See also No.: 109.

1495. Acker, G. Beschleunigung des Gerichtsverfahrens in Rumänien. *Aus,* 1923: 25–28. (DLC)

1496. Albrich, Hermann. Rumänisches Wechselgesetz, enthält: Wechselgesetz 1934, rumänisch und deutsch. Hermannstadt, 1935. 124 p. (DLC)

1497. Albrich, Hermann *and* Wilhelm Klein. Das landwirtschaftliche Umschuldungsgesetz, herausgegeben vom Verband deutscher Juristen in Rumänien. 1. Rumänischer Originaltext. 2. Deutsche Übersetzung, . . . Hermannstadt-Sibiu, [1932]. 44, 44 p. (DLC)

1498. Alexianu, G. Das internationale Privatrecht und Fremdenrecht in Rumänien. *ZfOer,* 1943: 141–189. (DLC)

1499. Antonescu, Emanuel N. Beziehungen zwischen Rechts-Wissenschaften and moderner Rechtsphilosophie. Berlin, 1898. 42 p. (DLC)

1499.1. Arion, Virgil. Ueber die juristischen Personen in Rumänien. München, 1898. 70 p.

1500. Arz, Albert *and* Wilhelm Klein, *translators.* Das neue Verwaltungsgesetz vom 26. März 1936 . . . Hermannstadt, 1936. 104 p. (DLC)

1501. Asch, Adolf. (a) Das rumänische Aktiengesellschaftsrecht. *Ostr,* 1925: 465–477. (DLC): (b) Transportverkehr, Moratorium, Feststellung feindlichen Vermögens in Rumänien, Wareneinfuhr. *Aus,* 1919: 53–54. (DLC)

1502. Avram, D. Die Reform des rumänischen Zivilprozesses. *Aus,* 1925: 417–422. (DLC)

1503. Barasch, Marco J. Das Handelsregister im rumänischen Handelsrecht. *ZfO*, 1932: 345–352. (DLC)

1504. Barbu, Tullius *and* Konstantin Moschuna. Die rumänischen Finanzen. *ZfOer*, 1942: 179–203. (DLC)

1505. Beitzke, Günther. Das Staatsangehörigkeitsrecht von Albanien, Bulgarien und Rumänien. Frankfurt am Main, 1951. 111 p. (DLC)

1506. Bergmann, Alexander. Internationales Ehe- und Kindschaftsrecht. Rumänien. Berlin, 1926, v. 2: 534–561; 2nd ed., 1938, v. 1: 585–611. (DLC); 3rd ed. 1952, v. 1, R 1: 1–24. (DLC)

1507. Brandsch, Rudolf. Rechtsgrundlagen der deutschen Volksgruppe in Rumänien. *ZfOer*, 1935–1936: 262–280. (DLC)

1508. Braunias, Karl. (a) Die Reform der örtlichen Verwaltung in Rumänien. *ZfOer*, 1936–1937: 370–397. (DLC); (b) Die rumänische Verfassungsentwicklung 1923–1938. *ZfOer*, 1937–1938: 771–785. (DLC); (c) Verfassungsrecht. *Aus*, 1922: 331–333. (DLC); (d) Vorbemerkung. Gesetz über den Schutz der Ordnung im Staat vom 6. April 1934 Nr. 1029 (M.O. Nr. 33 v. 7. April 1934). *ZfOer*, 1934–1935: 435–441. (DLC); (e) Vorbemerkung. Gesetz über die Vermögenskontrolle. *ZfOer*, 1934–1935: 427–435. (DLC); (f) Die Währungsvereinheitlichung in Rumänien. *Aus*, 1922: 271–273. (DLC)

1509. Devisenrecht der Welt. Europäische Staaten. Rumänien. Berlin, 1939, v. 1: 901–966. (DLC)

1510. Djuvara, Mircea. Die neue rumänische Verfassung. Berlin, [1940]. 28 p. (DLC)

1511. Dutczak, Basil. Die rechtliche Natur und die grundbücherliche Darstellung des Stockwerkseigentums in Rumänien. Czernowitz (Cernauti), 1934. 46 p. (DLC)

1512. Fleischmann, Max. Zum ungarisch-rumänischen Optantenstreite. *ZfO*, 1928: 273–287. (DLC)

1513. Florescu, Radu A. Über das Wesen der deutsch-rumänischen Umsiedlungsvereinbarungen. *ZfOer*, 1943: 190–196. (DLC)

1514. Florita, Ioan. Die GmbH. im neuen rumänischen Handelsgesetzbuch. *ZfOer*. 1939–1940: 177–189. (DLC)

1515. Gesetz über die Regelung der kollektiven Arbeitskonflikte und dessen ministerielle Begründung. [Bucharest?], 1920. 38 p. (DLC)

1516. Gesetz– und Verordnungs-Blatt für das Herzogthum Bukowina. Czernowitz, 1867. (DLC, 1867–1925)

1517. Grentrup, Theodor. Innerstaatliches Minderheitenrecht in Rumänien. ZfO, 1933: 253–273. (DLC)

1518. Hausknecht, Louis. (a) Das neue Handelgesetz Rumäniens, Codul comercial Carol al II–lea, systematisch und übersichtlich dargestellt in deutscher Sprache. Cernauti, 1939. 60 p. (DLC); (b) Die neue Strafgesetzgebung Rumäniens, systematisch und übersichtlich dargestellt in deutscher Sprache, juridische Studie. 2., ergänzte Aufl. Cernauti, 1938. 30 p. (DLC); (c) Die Vereinheitlichung der Gesetzgebung; der gegenwärtige Stand des allgemeinen Privatrechtes in Rumänien einschliesslich der Bucovina. Übersichtliche Darstellung in deutscher Sprache. Cernauti (Romania), 1938. 40 p. (DLC)

1519. Ionescu, Dimitrie B. Die Agrarverfassung Rumäniens, ihre Geschichte und ihre Reform. Leipzig, 1909. 132 p. (DLC)

1520. Kauschansky, D. M. (a) Das rumänische Eherecht. Ostr, 1926: 241–268. (DLC); (b) Übersicht über den heutigen Rechtszustand in Rumänien (1918–1930). ZfO, 1931: 778–783. (DLC)

1521. Kerschagl, Richard. Die Devisengesetzgebung und Devisenbewirtschaftung in Südosteuropa (Österreich, Ungarn, Jugoslavien, Bulgarien, Griechenland, Rumänien). ZfO, 1932: 321–345. (DLC)

1522. Keschmann, Fritz. Die gesetzliche Regelung der Zinsfrage in Rumänien. ZfOer, 1939–1940: 254–271. (DLC)

1523. Kisselitza, Cornel. Rumänien. In Julius Magnus. Die höchsten Gerichte der Welt. Europa. Leipzig, 1929: 343–354. (DLC)

1524. Klein, Wilhelm. Das rumänische Entschuldungsgesetz vom 7. April 1934. ZfOer, 1935–1936: 528–536. (DLC)

1525. Klein, Wilhelm, editor and translator. (a) Das Gesetz zur Regelung der landwirtschaftlichen und städtischen Schulden. Hermannstadt-Sibiu, [1933]. 30 p. (DLC); (b) Das neue Umschuldungsgesetz, Gesetz zum Liquidierung der landwirtschaftlichen und städtischen Schulden. Hermannstadt, 1934. 42 p. (DLC)

1526. Kochanowski, Iosef. Repertorium über Gesetze und Verordnungen seit 1778 bis Ende 1877. Wien, 1878. 252 p. (DLC)

1527. Konstantinovitch, M. Die Staatsangehörigkeit in Jugoslawien unter besonderer Berücksichtigung der Friedensverträge. (§4. "Rumänien"). *Ostr.,* 1926: 1157–1163. (DLC)

1528. Laday, Stefan. (a) Das neue rumänische Gesetz über den Vergleich zur Abwendung des Konkurses. *ZfO,* 1929: 1456–1464. (DLC); (b) Das neue rumänische Gesetz über den Verkauf auf Kredit von Maschinen. *ZfO,* 1930: 167–176. (DLC) The text of the law, *ibid.* 178–184; (c) Die Reform des Zwangsvergleichsgesetzes in Rumänien. *ZfO,* 1931: 717–720. (DLC)

1529. Leonhardt, Rolf. Bergrecht, Forstrecht, Elektrizitätswirtschaftsrecht, Arbeitsrecht (Stand vom 15. Oktober 1941). [Hermannstadt], [1941]. 190 p. (DLC)

1530. Loewenfeld, Erwin. (a) Die Agrarreform der Kleinen Entente in der internationalen Schiedsgerichtsbarkeit. *ZfO,* 1929: 963–973. (DLC); (b) Die Pariser Abkommen betr. die Verpflichtungen aus dem Trianonvertrage vom 28. 4. 30. *ZfO,* 1930: 785–793. (DLC)

1531. Lukas, Wilhelm. (a) Die Bankgesetzgebung Rumäniens. *ZfOer,* 1935–1936: 602–614. (DLC); (b) Die Genossenschaftsgesetzgebung Rumäniens. *ZfOer,* 1938–1939: 751–759. (DLC)

1532. Marcovici, Jean. Das Verhältnis zwischen dem normalen Gesetz und der Verfassung in Rumänien. *ZfO,* 1929: 55–58. (DLC)

1533. Nicoloff, Antonii M. Die Dobrudschafrage vor und nach der Regelung von Craiova. *ZfOer,* 1940–1941: 442–458. (DLC)

1534. Pappafava, Vladimir. Justiz und Urkundverhältnisse in Rumänien. (Übersetzung von A. Simon). Wien, 1911. 30 p. (DLC)

1535. Paves, Leon. Rumänien. *In* Rosendorff-Henggeler. Das internationale Steuerrecht des Erdballs. Europa. Zürich-Leipzig, 1936/37: 1–62. (DLC)

1536. Petit, Eugen *and* Nicolae Ghimpa. (a) Das neue rumänische Handelsgesetzbuch. *ZfOer,* 1938–1939: 577–593. (DLC); (b) Die neue rumänische Strafprozessordnung Carols II. *ZfOer,* 1936–1937: 674–698. Continued under the title Das Strafgesetzbuch Carols II. *ZfOer,* 1937/1938: 150–176. (DLC); (c) Die Novelle zum rumänischen Strafgesetzbuch. *ZfOer,* 1938–1939: 693–700. (DLC); (d) Die rumänische Strafprozessnovelle v. 26. Januar 1939. *ZfOer,* 1939–1940: 189–191. (DLC)

1537. Petit, Eugen *and* Ovidiu Creanga. Die Lösung der kollektiven Arbeitskonflikte in Rumänien. *ZfOer,* 1942: 157–179. (DLC)

1538. Porescu, Florian. Ein Überblick über die Schutzmarkengesetzgebung Rumäniens. *ZfO*, 1932: 104–115. (DLC)

1539. Raicovicianu, Al. G. (a) Die Cautio judicatum solvi in der rumänischen Gesetzgebung. *Aus*, 1923: 104–106. (DLC); (b) Effektivzahlungen in Gold. *Aus*, 1922: 211–214. (DLC); (c) Die Finanzreform in Rumänien. *Aus*, 1922: 113–120 and 175–178. (DLC); (d) Die Liquidation der den Staatsangehörigen der ehemals feindlichen Länder gehörigen Vermögen. *Aus*, 1923: 273–276. (DLC); (e) Rechtsprechung. *Aus*, 1923: 237–242. (DLC); (f) Die Regelung von Schulden in hoher Valuta. *Aus*, 1923: 269–274. (DLC)

1540. Das rumänische Strafgesetzbuch Carol II vom 18. März 1936, mit Abänderungsgesetzen . . . in deutscher Übertragung. Constantin Isopescul-Grecul *and* Dimitrie Androhovici, *editors*. (Neue Aufl.). Berlin, 1942. 224 p. (DLC)

1541. Schücking, Walther. Gutachten zum ungarisch-rumänischen Agrarreformstreit. *ZfO*, 1928: 161–177. (DLC)

1542. Schulz, Robert. Deutsche in Rumänien. Das Nationalitätenproblem in der Rumänischen Volksrepublik. Leipzig/Jena, 1955. 101 p.

1543. Schwamm, Heinrich. (a) Die Haftung des Staates für Verschulden seiner Organe in Rumänien. *ZfO*, 1934: 152–158. (DLC); (b) Das neue rumänische Gesetz über die Regelung der Agrarschulden und der städtischen Immobiliarschulden vom 14. April 1933. *ZfO*, 1933: 689–697. (DLC); (c) Das rumänische Gesetz über die Sanierung der landwirtschaftlichen Schulden. *ZfO*, 1932: 713–730. (DLC); (d) Über den Erwerb von Grundeigentum durch Ausländer in Rumänien. *ZfO*, 1933: 585–588. (DLC); (e) Zur Frage der Gültigkeit sowjetrussischer Vollmachten in Rumänien (spez. Bessarabien). *ZfO*, 1931: 180–187. (DLC)

1544. Serfas, Johann Friedrich, *comp*. Index der Landesgesetze und Verordnungen für die Bukowina. Waszkoutz a. Cz., 1909. 23 p. (DLC)

1545. Sokolyshyn, Alexander. Die Entstehung und Entwicklung des Verwaltungsstreitverfahrens, contenciosul administrativ, in Rumänien; ein Beitrag zur rumänischen Doktrin und Jurisprudenz der Gegenwart bis zum Jahre 1940. Innsbruck, 1940. 136 p. (DLC)

1546. Die Sozialversicherung in der Rumänischen Volksrepublik. Bukarest, 1953. 71 p. (DLC)

1547. Springer, Paul. Das rumänische Arbeitsrecht. *ZfO,* 1929: 415–467. (DLC)

1548. Steiner, Friedrich, *editor.* Die Währungsgesetzgebung der Sukzessionsstaaten Österreich-Ungarns, eine Sammlung einschlägiger Gesetze, Verordnungen und behördlicher Verfügungen von 1892 bis 1920. Wien, 1921. 679 p. (DLC)

1549. Toporul, I. Sprachenrecht und Sprachenkampf in der Bukowina; eine sprachenrechtliche Studie. Cernauti, 1931. 70 p. (DLC)

1550. Ullrich, Konrad Ernst. Gesetz über die Sozialversicherungen (Amtsblatt Nr. 298 vom 22. Dezember 1939). Brasov, 1939. 95 p. (DLC)

1551. Vallotton, James. Die juristische Auffassung des Dreierkomitees des Völkerbundes unter dem Vorsitz Sir Austin Chamberlain's über den rumänisch-ungarischen Streit und seine Tragweite im Völkerrecht. *ZfO,* 1927: 1217–1233. (DLC)

1552. Das Verwaltungsgesetz Rumäniens vom 13. August 1938. *ZfOer,* 1940: 47–59. (DLC)

1553. Weisskircher, Richard. Kommentar und Übersetzung des neuen rum. Versicherungsgesetzes vom 7. Juli 1930. Schässburg, 1933. 48 p. (DLC)

1554. Wittstock, Oskar. (a) Die Aufhebung der Statthalterschaften in Rumänien nach dem Gesetz vom 21. September 1940. *ZfOer,* 1940/1941: 155–158. (DLC); (b) Das neue Volksgruppenrecht der Deutschen in Rumänien. *ZfOer,* 1940/41: 472–477. (DLC); (c) Das neue Wahlgesetz Rumäniens. *ZfOer,* 1938–1939: 759–766. (DLC); (d) Die Neugestaltung des rumänischen Staatsrechts. *ZfOer,* 1938–1939: 364–375. (DLC)

D. In Italian

See also No.: 109.

1555. Giannini, Amedeo. (a) Il Concordato Rumeno. Roma, 1930. 22 p. (DLC); (b) La Costituzione Romena. Roma, 1923. 51 p. (DLC)

1556. Legislazione aeronautica estera. Fascicolo IV, Romania (Primo Supplemento). Roma, Istituto poligrafico dello Stato, 1938: 13–16. (DLC)

1557. Mazzei. Vincenzo. La Costituzione Rumena. Firenze, 1946. 80 p. (DLC)

1558. Radulescu, Andrei. (a) Le Fonti del diritto civile e commerciale romeno. *Annuario di diritto comparato e di studi legislativi* (Milano), v. 2–3, 1929: 82–94. (DLC); (b) La Giurisprudenza quale fonte di diritto. Roma, 1933. 12 p. (DLC) [Estratto dalla *Rivista internazionale di filosofia del diritto,* anno XIII. fasc. IV–V]; (c) Note sull'opera legislativa della Romania dopo la guerra. *Rivista internazionale di filosofia del diritto* (Roma), 1928: anno VIII, fasc. II (March-April). (DLC)

1559. Radulescu, Andrei *and* O. Sachelarie. Rassegna di legislazione romena. Roma, 1942. 76 p.

1560. Stanescu, C. Le legii agrarie in Romania e gli optanti ungheresi. Buc., 1937.

1561. Vellani-Dionisi, Franco. Il secondo arbitrato di Vienna. Milano, 1942. 261 p. (DLC)

E. In Russian

See also No.: 168.

I. Before 1918

Bessarabian Laws

Bessarabia, a Romanian province, was annexed by Imperial Russia in 1812 from the Romanian Principality of Moldavia, became a part of Romania again in 1918, and was forcibly occupied by the U.S.S.R. in 1944.

1562. Armenopulo, Constantine. Perevod Ruchnoi Knigi Zakonov ili tak nazyvaemago Shestiknizhiia . . . pri chem prilagaetsia Ruchnaia Kniga o Brakakh, sochinennaia Aleksieem Spanom (Translation of the Manual of Law or the So-Called Hexabiblos with the Manual on Marriages by A. Span). St. Petersburg, 1831. 264, 273, [98] p.; reprinted 1854; Chisinau, 1850, Akim Popov (?); reprinted in Nos. 1565–1567, 1569. *See also* No. 27. (DLC 1831)

1563. Donich, Andronachi. Kratkoe sobranie zakonov, izvlechennykh iz Tsarskikh knig (Brief Collection of Laws Extracted from Imperial Books). St. Petersburg, 1831. 25 l. (DLC)

1563. 1. Kasso, L. A. Vizantiiskoe pravo v Bessarabii (Byzantine Law in Bessarabia). Moskva, 1907. 71 p. (DLC)

Romanian edition, see No. 31.

1564. Kokhmanskii, R. Sbornik okonchatel'nykh sudebnykh rieshenii po voprosam miestnago bessarabskago grazhdanskago prava (Collection of Final Court Decisions on the Problems of Bessarabian Local Civil Law). Only vyp. 1 has been published. Kishinev, 1868. 254 p. (DLC)

1565. Miestnye grazhdanskie zakony Bessarabii (Local Civil Laws of Bessarabia). Compiled by A. N. Egunov. Kishinev, 1869. 124 p. (DLC); 2nd ed. 1881.

1566. Miestnye zakony Bessarabii (Local Laws of Bessarabia). Compiled by S. M. Grossman. St. Petersburg, 1904. 429 p. (DLC)

1567. Miestnye zakony Bessarabii (Local Laws of Bessarabia). S. R. Bukovskii and L. B. Stamerov. Odessa, 1908. 342, 297, 163 p. (DLC)

1568. Pergament, O. Ia. (a) Pridanie po Bessarabskomu pravu (Dowries under the Law of Bessarabia). Odessa, 1901. 145 p. (DLC); (b) Primienenie miestnykh Zakonov Armenopulo i Donicha (Application of Local Laws of Harmenopulos and Donich). St. Petersburg, 1905. For Romanian edition see No. 46; (c) Spornye voprosy Bessarabskago prava (Controversial Problems of Bessarabian Laws). Odessa, 1905. 65 p.

1569. Shimanovskii, M. V. O miestnykh zakonakh Bessarabii (The Local Laws of Bessarabia). Odessa, 1887–1888. 2 v. (DLC)

2. After 1944

1570. Konstitutsiia i osnovnye zakonodatel'nye akty Rumynskoi Narodnoi Respubliki (Constitution and Basic Legislative Acts of the Romanian People's Republic). Translated from Romanian. Moskva, 1954. 663 p. (DLC)

1571. Konstitutsiia Rumynskoi Narodnoi Respubliki (The Constitution of the Romanian People's Republic). Moskva, 1952. 34 p. (DLC); also in Konstitutsii zarubezhnykh sotsialisticheskikh gosudarstv. Moskva, 1956: 287–320. (DLC); and in Konstitutsii stran narodnoi demokratii. Moskva, 1958: 287–318.

1572. Osnovnye normativnye akty o mestnykh organakh gosudar-
stvennoi vlasti i gosudarstvennogo upravleniia Rumynskoi Na-
rodnoi Respubliki; sbornik dokumentov (Basic Normative Acts
Concerning Local Agencies of Government Power and Govern-
ment Administration of the Romanian People's Republic, a
Collection of Documents). Moscow, 1958. 72 p. (DLC)

1573. Farberov, N. P. Rumynskaia Narodnaia Respublika ... (The
R. P. R. [Constitutional Law]). In Gosudarstvennoe pravo zaru-
bezhnykh sotsialisticheskikh stran. Moskva, 1957: 275–302. (DLC)

1574. Kazantsev, N. D. Zakonodatel'nye osnovy zemel'nykh otno-
shenii v Rumynskoi Narodnoi Respubliki (Basic Legislation on
the Land Relations of the Romanian People's Republic). Moskva,
1956. 43 p.

1575. Mitskevich, A. V. Gosodarstvennyi stroi Rumynskoi Narod-
noi Respubliki (Governmental Organization of the Romanian
People's Republic). Moskva, 1958. 94 p.

1576. Sadikov, O. H. Grazhdanskoe pravo Rumynskoi Narodnoi
Respubliki (Civil Law of the Romanian People's Republic). In
D. M. Genkin, editor. Grazhdanskoe pravo stran narodnoi de-
mokratii. Moskva, 1958: 391–429. (DLC)

1577. Agrarnoe zakonodatel'stvo zarubezhnykh sotsialisticheskikh
stran. Vyp. 2: Rumynskaia Narodnaia Respublika . . . (Land
Legislation of the Foreign Socialist Countries; 2nd issue: The
Romanian People's Republic). N. D. Kazantsev, editor. Moskva,
1958: 3–74. (DLC)

1578. Iodkovskii, A. N. Natsionalizatsii v evropeiskikh stranakh na-
rodnoi demokratii, gl. 5: Rumynskaia Narodnaia Respublika
(Nationalization in the European Countries of the People's Dem-
ocracy, Ch. 5. The Romanian People's Republic). Moskva, 1956:
75–88. (DLC)

1579. Rumynskaia Narodnaia Respublika (The Romanian Peo-
ple's Republic [Criminal Law]). In D. S. Karev, editor. Ugolovno-
protsessual'noe zakonodatel'stvo zarubezhnykh sotsialisticheskikh
gosudarstv. Moskva, 1956: 373–470. (DLC)

1580. Rumynskaia Narodnaia Respublika (The Romanian People's
Republic [High Agencies of Government Power]). In Vysshie
organy gosudarstvennoi vlasti stran narodnoi demokratii; sbornik
normativnykh aktov. Vyp. 1, Evropeiskie strany. Moskva, 1960:
309–359.

1581. Shafir, M. A. Gosudarstvennoe pravo Rumynskoi Narodnoi Respubliki (Constitutional Law of the Romanian People's Republic). *In* A. Kh. Makhnenko, *editor.* Gosudarstvennoe pravo stran narodnoi demokratii. Moskva, 1959: 216–238. (DLC)

1582. Shizer, A. G. Administrativno-territorial'noe delenie zarubezhnykh stran. Rumyniia (Administrative Territorial Division of Foreign Countries. Romania). 2nd ed. Moskva, 1957: 75. (DLC)

1583. Sudoustroistvo i ugolovnyi protsess Rumynskoi Narodnoi Respubliki (The Judiciary and Criminal Procedure in the Romanian People's Republic). *In* D. S. Karev *and* V. P. Rad'kov, *editors.* Sudoustroistvo i ugolovnyi protsess stran narodnoi demokratii. Moskva, 1959: 208–251. (DLC)

1584. Ugolovnoe zakonodatel'stvo zarubezhnykh sotsialisticheskikh gosudarstv. Rumynskaia Narodnoia Respublika (Criminal Legislation of Foreign Socialist Countries. The Romanian People's Republic). M. A. Gel'fer, *editor.* Moskva, 1956. 99 p. (DLC)

1585. Vinberg, A. I. Rumynskaia Narodnaia Respublika (The Romanian People's Republic). *In* Kriminalisticheskaia ekspertiza v evropeiskikh stranakh narodnoi demokratii. Moskva, 1959: 119–128. (DLC)

F. In Spanish

1586. Bagdasar, N. La filosofía del derecho en Rumanía. Traducción de Francisco Elías de Tejada. Madrid, 1945. 31 p. (DLC)

1587. Popovici, Cirilo. La organización judicial en Rumanía. Salamanca, 1949. 22 p. (DLC)

1588. Rauta, Aurelio, *editor.* Bases jurídicas y sociales de la propiedad agraria en Rumanía. Salamanca, 1949. 25 p. (DLC)

1589. Uscatescu, George. La Concepción jurídica rumana. Salamanca, 1949. 26 p. (DLC)

9

LIST OF PRINCIPAL LAWS, DECREES, RESOLUTIONS, ETC., IN EFFECT IN THE PEOPLE'S REPUBLIC OF ROMANIA AS OF JANUARY 1, 1963

(Arranged by Subject in Alphabetical Order)

1. Accounting and Business Records

   Regulations Concerning Auditing Services of State Institutions, Corporations and Local Administrations, R. No. 1598, M. O. No. 280, Dec. 1, 1948.

   Abrogation of Law Concerning Accountants and the System of Auditing, D. No. 40, B. O. No. 31, March 13, 1951.

   Rules Concerning the Auditing Service, D. No. 434, B. O. No. 24, Sept. 14, 1957.

2. Administrative Courts and Procedure

   Abolition of Administrative Courts, D. No. 128, M. O. No. 156, July 9, 1948.

   Establishment of a Commission for State Control, D. No. 369, B. O. No. 60, Sept. 15, 1949.

   Amended: D. No. 133, B. O. No. 91, Aug. 16, 1951.

3. Administrative Law

   Better Administrative Division of the R. P. R., L. No. 3, B. O. No. 27, December 27, 1960.

   Territorial-Administrative Organization of the Black Sea Shore, D. No. 570/1958, B. O. No. 1, Jan. 14, 1959.

   Amended: D. No. 454, B. O. No. 27, December 27, 1960.

4. Agriculture and Land Reforms

Land Settlement, D. No. 1430, M. B. No. 98, April 25, 1940.

Agrarian Reform, L. No. 187, M. O. No. 68bis, March 23, 1945.
Amended: D. No. 83, B. O. No. 1, March 2, 1949; L. No. 10, B. O. No. 117, Dec. 16, 1950.

Regulation No. 4, to the Agrarian Reform, D. No. 1138, M. O. No. 85, April 12, 1945.

Right and Privileges of the Romanian Old Community Called "Moşneni," L. No. 570, M. O. No. 163, July 17, 1946.

The Institute of Zoological Research, L. No. 176, M. O. No. 127, June 7, 1947.

Administration of State Farms and Machine Tractor Stations, D. No. 33, B. O. No. 117, May 22, 1948.
Amended: D. No. 273, B. O. No. 233, Oct. 7, 1948.

Machine Tractor Stations, D. No. 273, B. O. No. 233, Oct. 7, 1948.

Creation of Collective Farms, D. No. 319, M. O. No. 51, Aug. 7, 1949.

Socialization and Trade of Rural Land, D. No. 151, B. O. No. 52, June 10, 1950.

Standard Charter of a Collective Farm, R. No. 1650, C. H. D. No. 39, June 18, 1953.

Compulsory Delivery of Vegetable Products, R. No. 96, C. H. D. No. 5, Jan. 25, 1954.

Registry of Land According to Its Use, D. No. 281, M. O. No. 20, July 15, 1955.

Registry of Collecting Meats and Wool, D. No. 729/1956, B. O. No. 3, Jan. 21, 1957.

New Farm Identification Law, D. No. 3, B. O. No. 1, Jan. 14 1959.

Improvement of State Farms, R. No. 372, B. O. No. 17, April 1, 1959.

5. Air Law

Air Code, D. No. 516, B. O. No. 56, Dec. 30, 1953.
Amended: D. No. 204, B. O. No. 15, May 15, 1956; D. No. 212, B. O. No. 17, June 20, 1959.
For a complete text as of 1961, *see* No. 1269a.

Establishment of General Management of Civil Aeronautics, L. No. 827, M. O. No. 243, Oct. 19, 1946.

Rights of the Professional Crew in Civilian Navigation in the R. P. R., D. No. 416, B. O. No. 41, Oct. 20, 1953.
Amended: D. No. 425, B. O. No. 28, Oct. 1, 1955.

6. Aliens

Legal Status of Foreigners in the R. P. R., D. No. 260, B. O. No. 15, June 15, 1957.

Marriages Between Foreigners and Romanian Citizens, D. No. 80, B. O. No. 31, March 31, 1950.
See also Civil Code of 1958, Art. 134.

Adoption of Foreigners by Romanian Citizens and Vice Versa, D. No. 137, B. O. No. 10, March 23, 1956.

Regulation of Entry, Sojourn and Living in the R. P. R., D. No. 260, B. O. No. 15, June 15, 1957.
Amended: D. No. 120, B. O. No. 6, April 26, 1960.

7. Amnesty

Repatriation of Some Citizens and Their Amnesty, D. No. 253, B. O. No. 18, June 30, 1955.
Amended: D. No. 63, B. O. No. 8, March 20, 1959.

Pardon of Certain Crimes and Dismissal of Criminal Prosecution for Some Other Crimes, D. No. 20, B. O. No. 3, January 23, 1959.

Amnesty Law for Certain Crimes, D. No. 315, B. O. No. 23, August 21, 1959.

8. Arbitration

State Arbitration, L. No. 5, B. O. No. 37, Aug. 5, 1954.
Amended: D. No. 259, B. O. No. 22, Aug. 17, 1959.
For complete text as of Sept. 1, 1959, *see* B. O. No. 24, Sept. 1, 1959.
Rules Concerning Procedure for State Arbitration, R. No. 1397, C. H. D. No. 46, Aug. 18, 1954.
Amended: R. No. 1183, C. H. D. No. 30, Aug. 22, 1959.
For complete text as of Oct. 3, 1959, *see* B. O. No. 39, Oct. 3, 1959.

9. Armed Forces

Armed Forces, L. No. 206, M. O. No. 141, June 24, 1947.
Amended: D. No. 44, M. O. No. 124, May 31, 1948; D. No. 25, M. O. No. 19, Jan. 23, 1949; D. No. 93, B. O. No. 36, April 20, 1950.
Formation of Military Commissariats, D. No. 93, B. O. No. 36, April 20, 1950.
Military Service, D. No. 468, B. O. No. 27, October 3, 1957.
Amended: D. No. 108, B. O. No. 11, March 11, 1959; D. No. 246, B. O. No. 19, July 15, 1959; D. No 80, B. O. No. 3, March 4, 1960; D. No. 399, B. O. No. 28, December 12, 1961.
Border Armed Forces, D. No. 165, B. O. No. 14, May 27, 1959.
Creation of Noncommissioned Officers of the R. P. R., D. No. 247, B. O. No. 19, July 15, 1959.

10. Art and Culture

Editing and Distribution of Books, D. No. 17, M. O. No. 11, January 14, 1949.
Corrected: M. O. No. 27, February 2, 1949; M. O. No 48, February 26, 1949.
Amended: D. No. 236, B. O. No. 35, June 4, 1949; D. No. 77, B. O. No. 65, June 14, 1951.
Encouragement of Scientific Arts and Culture, D. No. 31, B. O. No. 24, January 29, 1949.

Amended: D. No. 339, B. O. No. 54, August 20, 1949; D. No. 262, B. O. No. 15, June 15, 1957; D. No. 474, B. O. No. 30, December 17, 1959.

Organization of Common Schools of Art, R. No. 1720, C. H. D. No. 49, September 20, 1954.

Regulations Governing the Taking of Photographs, Motion Pictures and Making Works of Plastic Art, D. No. 332, B. O. No. 28, July 29, 1958.

Amended: D. No. 86, B. O. No. 3, March 4, 1960.

Organization of Institutions for Theaters, D. No. 19, B. O. No. 3, January 23, 1959.

11. Attorneys

Abrogation of the Law on the Bar and the Establishment of the Lawyers' Collegia in the R. P. R., L. No. 3, M. O. No. 15, January 19, 1948.

Amended: L. No. 16, M. O. No. 33, February 10, 1948.

Limitation of Lawyers by County, R. No. 20337, M. O. No. 59, March 11, 1948.

Limitation of Lawyers in Mixed and Rural Courts, R. No. 40150, M. O. No. 103, May 6, 1948.

The Practice of the Legal Profession, D. No. 281, B. O. No. 34, July 21, 1954.

Amended: D. No. 143, July 30, 1955; D. No. 584, B. O. No. 30, November 24, 1956; D. No. 102, B .O .No. 11, March 6, 1958; D. No. 276, B. O. No. 13, July 28, 1960.

Organization of Legal Aid Offices, D. No. 143, B. O. No. 8, April 30, 1955.

12. Banking

Organization and Regulation of the Credit Business, D. No. 1275, M. O. No. 105, May 8, 1934.

Amended: D. No. 197, August 13, 1948; R. No. 1827, B. O. No. 59, July 13, 1950.

Abolition of Private Banks, D. No. 197, M. O. 186, August 13, 1948.

Regulations Regarding Personal Assets Held by Banks, D. No. 24, B. O. No. 23, February 17, 1951.

> Amended: D. No. 654, B. O. No. 15, June 15, 1957.

Legal Interest Rate Established at Six Percent, D. No. 311, B. O. No. 38, August 9, 1954.

Establishment and Organization of the Agricultural Bank and the Cooperative for Credit and Economy, D. No. 455, B. O. No. 46, December 10, 1954.

> Amended: D. No. 446, B. O. No. 1, January 4, 1961.

State Bank of the R. P. R., D. No. 130, B. O. No. 10, March 26, 1957.

Organization of Savings and Deposit Banks of the R. P. R., D. No. 371, B. O. No. 32, August 19, 1958.

Specific Regulations Enforcing Control of State Investment Banks, R. No. 46, C. H. D. No. 6, January 29, 1959.

13. Church and Religion

General Rules Regarding Religious Denominations, D. No. 177, M. O. No. 178, August 4, 1948.

> Amended: D. No. 322, M. O. No. 269, November 18, 1948; D. No. 67, February 3, 1956; D. No. 410, B. O. No. 28, November 19, 1959.

Legal Status of the Former Greco-Catholic Church, D. No. 358, M. O. No. 281, December 2, 1948.

The Charter of the Romanian Orthodox Church, D. No. 233, February 23, 1949.

> Amended: D. No. 124, February 16, 1950; D. No. 3, January 16, 1952; D. No. 91, February 13, 1953; D. No. 68, February 3, 1956.

14. Civil Law

Civil Code of December 1, 1865, D. No. 1655, M. O. No. 271, December 4, 1864; M. O. No. 7, (Supplement) January 12, 1865; M. O. No. 8 (Supplement) January 13, 1865; M. O. No. 9, (Supplement) January 14, 1865; M. O. No. 11 (Supplement) January 16, 1865; M. O. No. 13 (Supplement) January 16, 1865.

Several times amended.

For complete text as of July 15, 1958, *see* Bibliography No. 361.

Later Amended: D. No. 278, M. O. No. 13, July 28, 1960; D. No. 378, B. O. No. 22, October 20, 1960.

15. Civil Procedure

Code of Civil Procedure of February 24, 1948, M. O. No. 45, February 24, 1948.

Several times amended.

For complete text as of June 1, 1958, *see* Bibliography No. 421d.

Later Amended: D. No. 470, B. O. No. 38, December 5, 1958; D. No. 38, B. O. No. 5, February 16, 1959; D. No. 334, B. O. No. 24, September 1, 1959; D. No. 378, B. O. No. 22, October 20, 1960.

16. Commercial Law

Merchant Marine, D. No. 40, B. O. No. 11, February 14, 1950. Amended: D. No. 55, B. O. No. 20bis, June 30, 1953; D. No. 488, B. O. No. 3, November 17, 1955.

Organization of the Chamber of Commerce and Its Arbitration Board in the R. P. R., D. No. 495, B. O. No. 49, November 26, 1953.

Regulations Governing Private Commerce and the Black Market, D. No. 306, B. O. No. 45, September 6, 1952 and R. No. 4070, B. O. No. 49; September 26, 1952. Amended: D. No. 202, B. O. No. 15, May 14, 1953.

Lumber Trade, D. No. 201, B. O. No. 15, May 14, 1953.

General Rules for Commerce and Penalties for Violations, R. No. 3022, C. H. D. No. 2, January 9, 1956; R. No. 266, C. H. D. No. 9, March 11, 1958; R. No. 1649, C. H. D., No. 53, December 13, 1958.

17. Communication, Media of

Organization of Broadcasting in the R. P. R., D. No. 216, B. O. No. 32, May 23, 1949.

Amended: D. No. 462, B. O. No. 44, October 31, 1953; D. No. 145, B. O. No. 8, April 30, 1955; D. No. 197, B. O. No. 10, May 25, 1955.

Postal Service and Telecommunication, D. No. 197, B. O. No. 10, May 25, 1955.

Charter of Radio Communications in the R. P. R., R. No. 137, C. H. D. No. 7, February 27, 1960.

18. Constitutional Law

The Proclamation Establishing the Romanian People's Republic, L. No. 363, M. O. No. 300bis, December 30, 1947.

The Jurisdiction of the Presidium of the R. P. R., D. No. 3, M. O. No. 7, January 9, 1948.

The Constitution of the R. P. R., B. O. No. 1, September 27, 1952.

Amended: L. No. 7, B. O. No. 6, January 24, 1954; L. No. 3, B. O. No. 19, April 21, 1954; L. No. 4, B. O. No. 13, June 2, 1955; L. No. 5, B. O. No. 11, April 4, 1956; L. No. 1, B. O. No. 11, March 28, 1957; L. No. 1, B. O. No. 3, January 15, 1958; L. No. 2, B. O. No. 31, December 31, 1959; L. No. 1, B. O., No. 9, March 25, 1961.

Functions of the Council of Ministers, D. No. 264, B. O. No. 15, June 15, 1957.

Organization of the Council of Ministers, L. No. 2, B. O. No. 9, March 25 ,1961.

Regulations Concerning the Functioning of the National Assembly of the R. P. R., B. O. No. 11, March 28, 1957.

For complete text as of April 25, 1961, *see* B. O. No. 11, April 25, 1961.

Legal Status of Minority Nationalities, L. No. 86, M. O. No. 30, February 7, 1945.

Amended: L. No. 629 and 630, M. O. No. 176, August 6, 1945; L. No. 961, M. O. No. 278bis, November 30, 1946.

19. Contracts and Torts

State Control Commission's Determination of Liability, R. No. 658, B. O. No. 77, July 17, 1951.

Liability of Military Personnel for Material Losses Caused to the Armed Forces and Procedure for Establishing Them, D. No. 359, B. O. No. 21, August 3, 1957.

For the complete text as of March 16, 1961, *see* B. O. No. 8, March 16, 1961.

Measures to Reimburse Losses to Socialist Organizations Resulting from Petty Offenses and the Confiscation of Property for Said Crimes, D. No. 417, B. O. No. 36, October 15, 1958.

Damages to Socialist Property, D. No. 220, B. O. No. 22, October 20, 1960.

20. Cooperatives

Organization of Cooperatives, D. No. 133, B. O. No. 15bis, April 2, 1949.

For complete text, *see* B. O. No. 74, June 5, 1951.

Later Amended: D. No. 401, B. O. No. 28, December 12, 1961.

Improvement of Handicraft Cooperatives, R. No. 785, C. H. D. No. 20, March 30, 1953.

Corrected: C. H. D. No. 46, July 11, 1953.

Amended: R .No. 2410, C. H. D. No. 55, November 14, 1955.

Establishment and Organization of the Agricultural Bank and the Cooperative for Credit and Economy, D. No. 455, B. O. No. 46, December 10, 1954.

The Charter of the Handicraft Cooperatives, 1955.

Control of Institutions, State Economic Organizations and Cooperatives, R. No. 74, C. H. D. No. 8, February 1, 1959.

21. Copyrights, Patents and Trade Marks

Patents, L. No. 102, M. O. No. 229, January 17, 1906.

Copyright Law, D. No. 321, No. 18, June 27, 1956.

Amended: D. No. 358, B. O. No. 21, August 3, 1957.

Regulations Concerning Patents, R. No. 943, B. O. No. 121, December 27, 1950.

Amended: R. No. 2267, C. H. D. No. 46, July 11, 1953.

Regulations Concerning Patent Innovations, R. No. 2267, C. H. D. No. 46, July 11, 1953.

Regulations Concerning Patent Office Functioning with the Chamber of Commerce of the R. P. R. for Foreign Countries, R. No. 3940, C. H. D. No. 72, November 26, 1953.

State Patent Office Working with the Committee on State Planning, D. No. 120, B. O. No. 8, April 30, 1955.

Regulations Governing the State Patent Office, R. No. 718, C. H. D. No. 26, May 12, 1955.

Management of Meteorology and Patents, D. No. 65, B. O. No. 6, February 19, 1957 and R. No. 1164, C. H. D. No. 37, September 8, 1958.

22. Corporations

New Appraisal of Corporations Property, L. No. 303, M. O. No. 196, August 27, 1947.

Government Enterprises, D. No. 199, B. O. No. 29, May 14, 1949.

Register of Control of Corporations, D. No. 154, B. O. No. 97, September 28, 1951.

State Control of State Corporations, D. No. 665, B. O. No. 36, December 22, 1956.

23. Courts, Public Prosecutors and Notaries Public

Organization of Judicial System, L. No. 5, B. O. No. 31, June 19, 1952.

Amended: D. No. 99, B. O. No. 8, March 4. 1953; L. No. 2, B. O. No. 12, April 6, 1956; D. No. 357, B. O. No. 19, July 17, 1956; D. No. 58, B. O. No. 6, February 19, 1957; D. No. 154, B. O. No. 13, April 26, 1957; D. No. 474, B. O. 26, September 30, 1957; D. No. 319, B. O. No. 27, July 21, 1958; D. No. 470, B. O. No. 38, December 5, 1958.

For complete text as of July 31, 1958, *see* B. O. No. 29, July 31, 1958.

Prosecution in R. P. R., L. No. 6, B. O. No. 31, June 19, 1952.
For complete text as of May 29, 1961, *see* B. O. No. 14,
May 29, 1961.

Regulations of Labor Commissions for Settling Disputes, R.
No. 30, C. H. D., No. 6, January 16, 1957.

Establishment of Conciliation Committees, D. No. 132, B. O.
No. 10, March 26, 1957.

Workers' Courts Functioning in Factories and Institutions, D.
No. 320, B. O. No. 27, July 21, 1958.
Amended: D. No. 211, B. O. No. 17, June 20, 1959; D. No.
78, B. O. No. 3, March 4, 1960; D. No. 220, B. O. No.
22, October 20, 1960.

State Notary, D. No. 377, B. O. No. 22, October 20, 1960.

24. Criminal Law and Procedure

Criminal Code of February 27, 1948, B. O. No. 48, February
27, 1948.
Several times amended.
For complete text as of December 1, 1960, *see* Bibliog-
raphy, No. 513c and 514.

Code of Criminal Procedure of February 13, 1948, B. O. No. 44,
February 13, 1948.
Several times amended.
For complete text of December 1, 1960, *see* Bibliography
Nos. 514 and 567c.

Punishment for Certain Crimes Against State Security and
Economy, L. No. 16, M. O. No. 12, January 15, 1949.
Amended: D. No. 199, B. O. No. 68, August 12, 1950; D.
No. 202, B. O. No. 15, May 14, 1953.

Protection of the Peace, L. No. 9, B. O. No. 117, December
16, 1950.

Registration of Persons Under Criminal Prosecution and Con-
victed, D. No. 363, B. O. No. 3, October 6, 1952.

Petty Offenses, D. No. 184, B. O. No. 25, May 21, 1954.
Amended: D. No. 12, B. O. No. 3, January 23, 1959.

Preventive Measures Against Embezzlement, Larceny, and
Common Law Violations Creating Public Property Damage,
R. No. 240, C. H. D. No. 15, March 8, 1955.

25. Customs Duties

Customs Regulations, L. No. 6, B. O. No. 29, December 30, 1961.

Customs Taxation, D. No. 4, M. O. No. 2, January 3, 1949; M. O. No. 12, January 15, 1949.

26. Economy

Monetary Reform, L. No. 287, M. O. No. 187, August 16, 1947.
Monetary Reform, D. No. 37, B. O. No. 7, January 26, 1952.
See Resolution No. 147, B. O. No. 7, January 26, 1952; Resolution No. 277, B. O. No. 11 bis, March 7, 1952.
Production, Transportation, Distribution and Sale of Electrical Power, D. No. 76, B. O. No. 31, March 31, 1950.
Amended: D. No. 13, B. O. No. 13, January 13, 1951.

27. Education

Teaching of German in Schools Replaced with Teaching of Russian, Order No. 253471, M. O. No. 231, October 7, 1947.

The Romanian Academy Name Changed to the Romanian People's Republic Academy, D. No. 76, M. O. No. 132bis, June 9, 1948.

Foreign Schools in the R. P. R., D. No. 159, M. O. No. 167, July 22, 1948.

Foreign Schools Abolished, Order No. 191653, M. O. No. 176, August 2, 1948.

School Reform, D. No. 175, M .O. No. 177, August 3, 1948.

Establishment of the Folklore Institute, D. No. 136, B. O. No. 16, April 6, 1949.

Apprenticeship Practice, D. No. 13, B. O. No. 4, January 17, 1950.

Requirement for Doctor's Degree, D. No. 15, B. O. No. 4, January 17, 1950.

Creation of Committee on Higher Education Under the Administration of the Council of Ministers, D. No. 184, B. O. No. 105, October 19, 1951.

Organization and Functioning of Graduate Courses for Economic Engineers, R. No. 649, C. H. D. No. 28, October 28, 1961.

28. Electoral Laws

The National Assembly of Representatives, L. No. 9, B. O. No. 1, September 27, 1952.
> Amended: D. No. 421, B. O. No. 6, November 5, 1952; L. No. 7, B. O. No. 31, December 3, 1956; D. No. 460, B. O. No. 1, January 4, 1961.

Election of Deputies for People's Councils, D. No. 391, B. O. No. 35, September 26, 1953.
> Amended: D. No. 609, B. O. No. 37, December 31, 1957; D. No. 449, B. O. No. 26, December 15, 1960; D. No. 460, B. O. No. 1, January 4, 1961.

29. Execution (in Civil Matters)

Civil Prosecution for the Unpaid Balance of State Taxes and Confiscation Procedure, D. No. 221, B. O. No. 10, July 1, 1960.

30. Finance and Taxation

Code of Fiscal Procedure, L. No. 269, M. O. No. 78, April 1, 1942.
> Several times amended.
> For Complete text as of September 1, 1957, *see* Bibliography, No. 1013.

Customs Taxation, D. No. 4, M. O. No. 2, January 3, 1949.
> Corrected: M. O. No. 12, January 15, 1949.

Income Tax and District Taxes, D. No. 18, B. O. No. 4, January 18, 1952.
> Amended: D. No. 22, B. O. No. 2, January 22, 1953; D. No. 202, B. O. No. 15, May 14, 1953; D. No. 235, B. O. No. 18, June 5, 1953; D. No. 495, B. O. No. 27, December 26, 1956; D. No. 379, B. O. No. 22bis, August 8, 1957; D. No. 433, B. O. No. 24, September 14, 1957; D. No. 79, B. O. No. 12, March 10, 1958.

Cooperatives' and Socialist Corporations' Income Taxes, D. No. 174, B. O. No. 12, April 18, 1953.
>   Amended: D. No. 730, B. O. No. 3, January 21, 1957; D. No. 531, B. O. No. 41, December 30, 1958; D. No. 317, B. O. No. 23, August 21, 1959; D. No. 4, B. O.No. 24, November 18, 1960.

Taxation of Nonprofit Organizations, D. No. 564/1953, B. O. No. 2, January 14, 1954.

Personal Income Tax, D. No. 153, B. O. No. 22, May 11, 1954.
>   Amended: D. No. 94, B. O. No 6, April 4, 1955; D. No. 610, B. O. No. 30, November 24, 1956; D. No. 94, B. O. No. 7, February 21, 1957; D. No. 291, B. O. No. 20, August 10, 1959.

Tax on Transportation of Products, D. No. 509/1954, B. O. No. 1, January 12, 1955.
>   Amended: D. No. 65, B. O. No. 5, February 23, 1956.
>   *See also* R. No. 651, C. H. D. No. 21, May 22, 1958; R. No. 1650, C. H. D. No. 53, December 13, 1958; R. No. 1874, C. H. D. No. 3, January 11, 1959.

Stamp Act, D. No. 199, B. O. No. 14, June 5, 1955.
>   Amended: D. No. 69, B. O. No. 8, February 12, 1958.
>   *See also* R. No. 911, C. H. D. No. 30, June 5, 1955 as amended by R. No. 1402, C. H. D. No. 63, September 9, 1957; R. No. 1816, C. H. D. No. 45, December 28, 1959.

Income Tax on Handicrafts of Cooperatives' Members, D. No. 94, B. O .No. 7, February 21, 1957.

Income Tax on Agriculture, D. No. 379, B. O. No. 22bis, August 8, 1957.

Taxation on Collective Farms, D. No. 380, B. O. No. 22bis, August 8, 1957.
>   Amended: D. No. 247, B. O. No. 24, June 2, 1958.

31. Foreign Exchange

Trade in Foreign Currency, Gold and Precious Stones, D. No. 210, B. O. No. 8, June 17, 1960.
>   Amended: D. No. 338, B. O. No. 20, September 22, 1960.

Granting an Opportunity to Hand Over, Cede and Declare Foreign Assets and Precious Metals, D. No. 211, B. O. No. 8, June 17, 1960.

32. Foreign Trade

Import, Export and Transit, D. No. 317, B. O. No. 49, July 28, 1949.

33. Forensic Medicine

Forensic Medicine in the R. P. R., D. No. 345, B. O. No. 28, September 1, 1953.

34. Forestry

Forestry Code, L. No. 3, B. O. No. 28, December 30, 1962.
Forest Protection, L. No. 204, M. O. No. 140, June 23, 1947.
Plant and Forest Protection, D. No. 697, B. O. No. 1, January 9, 1957.

35. Inheritance

Notarial Procedure Regarding Inheritance, D. No. 40, B. O. No. 2, January 22, 1953.
Amended: D. No. 378, B. O. No. 22, October 20, 1960.
Civil Code of 1958: Arts. 650-799.

36. Insurance Law

Establishment of Administration for Government Insurance (ADAS), D. No. 38, B. O. No. 8, February 6, 1952.
Collective Farm Insurance, D. No. 146, B. O. No. 8, April 30, 1955.
Application of Government Insurance, R. No. 1384, C. H. D. No. 61, September 6, 1957.

37. International Treaties and Agreements

Convention on Execution of Judgments of Foreign Arbitration Courts, D. No. 865, M. O. No. 71, March 26, 1931.

Armistice Convention with U. S. S. R., Gt. Brit. and U. S. A. of September 12, 1944, M. O. No. 219, September 22, 1944.

Peace Treaty of Paris 1947, L. No. 304, M. O. No. 199, August 30, 1947.

R. P. R.–U. S. S. R. Treaty on Navigation, L. No. 113, M. O. No. 85, April 11, 1947.

Romanian–Bulgarian Friendship, Cooperation and Mutual Assistance Agreement, L. No. 11, M. O. No. 25, January 31, 1948.

Romanian–Russian Friendship, Cooperation and Mutual Assistance Agreement, L. No. 31, M. O. No. 45, February 24, 1948.

Romanian–Hungarian Friendship, Cooperation and Mutual Assistance Agreement, L. No. 37, M. O. No. 49, February 28, 1948.

Romanian–Yugoslav Friendship, Cooperation and Mutual Assistance, L. No. 117, M. O. No. 94, April 21, 1948.

Denunciation of Concordat with the Vatican, D. No. 151, M. O. No. 164, July 12, 1948.

Denunciation of Romanian–French Friendship Agreement, D. No. 335, M. O. No. 271, November 20, 1948.

Romanian–Polish Friendship, Cooperation and Mutual Assistance, L. No. 20, B. O. No. 45, July 14, 1949.

The Broadcasting Convention of Copenhagen, D. No. 78, B. O. No. 34, April 8, 1950.

Treaty of Friendship, Cooperation and Mutual Assistance signed at Warsaw, May 14, 1955 (Warsaw Pact). L. No. 1, B. O. No. 21, July 20, 1955.

Ratification of Protocol of September 28, 1955 Amending the Convention for the Unification of International Air Transportation Provisions, Signed at Warsaw on October 12, 1929, D. No. 353, B. O. No. 33, August 21, 1958.

Ratification of International Labor Convention, D. No. 213 /1957, B .O. No. 4, January 18, 1958.

Ratification of Agreement Signed at The Hague on May 14, 1954 for the Protection of Cultural Goods in Case of War, D. No. 605/1957, B. O. No. 6, January 28, 1958.

Ratification of R. P. R.– U. S. S. R. Treaty Regarding Juridical Assistance in Civil, Family and Criminal Cases, D. No. 334, B. O. No. 30, August 4, 1958.

Ratification of Protocol of September 28, 1955 for Modification of International Air Transportation Agreement Signed at Warsaw on October 12, 1929, D. No. 353, B. O. No. 33, August 21, 1958.

Ratification of the International Labor Organization's Collective Bargaining Regulations, D. No. 352, B. O. No. 34, August 29, 1958.

International Agreements of Madrid and Nice on Trade Marks, D. No. 546/1958, B. O. No. 11, March 31, 1959.

Denunciation of International Convention of Brussels of 1926 on Immunity of Vessels, D. No. 301, B. O. No. 21, August 12, 1959.

Ratification of Agreement of January 20, 1957 Concerning Nationality of Married Women, D. No. 339, B. O. No. 20, September 22, 1960.

Ratification of International Agreement Concerning Recognition and Execution of Arbitrators' Decisions, Signed at New York on June 10, 1958, D. No. 186, B. O. No. 19, July 24, 1961.

38. Labor and Trade Unions

Labor Code, L. No. 3, B. O. No. 50, June 8, 1950.
    Several times amended.
    For complete text as of April 1, 1961, *see* Bibliography, No. 1065b.
    Amended: D. No. 266, B. O. No. 12, July 21, 1960.
Law No. 52 on Trade Unions, D. No. 150, M. O. No. 17, January 21, 1945.
    Amended: L. No. 389, M. O. No. 120, May 25, 1946; L. No. 125, M. O. No. 90, April 21, 1947; L. No. 316, M. O. No. 200, September 1, 1947; D. No. 263, B. O. No. 15, June 15, 1957.
Granting Annual Leave, R. No. 186, B. O. No. 33, March 16, 1951.

Recruitment of Skilled Labor, D. No. 68, B. O. No. 56, May 18, 1951.

Stakhanovism and Leaders in Industry, R. No. 1015, B. O. No. 102, October 9, 1951.

Recruitment and Employment of Unskilled Labor, R. No. 1842, B. O. No. 47, September 16, 1952.
Amended: R. No. 371, C. H. D. No. 18, March 22, 1955.

Charter of Trade Unions in the R. P. R. Approved by 2nd Congress of Trade Unions of the R. P. R. on January 30, 1953.

Labor Protection in the R. P. R., D. No. 185, B. O. No. 13, April 16, 1953.

Recruitment and Employment of Technical Administrative Employees and Skilled Workers, R. No. 4457, C. H. D. No. 1, January 9, 1954.

Regulations Concerning Multiple Job Holders, R. No. 641, C. H. D. No. 26, May 15, 1954.
Corrected: C. H. D. No. 39, July 23, 1954.

Voluntary Highway Repair and Maintenance Work, D. No. 164, B. O. No. 25, May 21, 1954.

Short Working Day for Certain Professional Workers (less than 8 hours), R. No. 907, C. H. D. No. 27, May 31, 1956.
Amended: R. No. 2558/1956, C. H. D. No. 1, January 3, 1957.

Creation of State Committee on Labor and Salaries, D. No. 35, B. O. No. 4, January 25, 1957.

Regulations Governing Annual Leave of Employees of Common Professional and Technical Schools, D. No. 261, B. O. No. 15, June 15, 1957.

Voluntary Work, R. No. 300, C. H. D. No. 10, March 14, 1958.

Labor Book, D. No. 256, B. O. No. 25, June 5, 1958.
Amended: D. No. 90, B. O. No. 3, March 4, 1960.

Rules Governing Continuation of Work by Retired Military Personnel, D. No. 407, B .O. No. 36, October 15, 1958.

Penalties for Violations of Rules of Labor Book, R. No. 1571, C. H. D. No. 51, November 22, 1958.

39. Land Title Register

Registration of Railroads and Canals, D. No. 2142, M. O. No. 127, June 12, 1930.
 Amended: L. No. 987, M. O. No. 269, November 12, 1941; D. No. 378, B. O. No. 22, October 20, 1960.
Unification of Rules Concerning Land Register, D. No. 1642, M. O. No. 95, April 27, 1938.
 Amended: D. No. 2710, M. O. No. 187, August 14, 1940; D. No. 378, B. O. No. 22, October 20, 1960.
Temporary Registration of Realty in Case of Destroyed, Stolen or Lost Land Register, D. No. 163, M. O. No. 61, March 14, 1946.
 Amended: D. No. 378, B. O. No. 22, October 20, 1960.
Application to Transylvania of the Law of April 27, 1938 on the Unification of Regulations Concerning Land Registrations, D. No. 241, M. O. No. 157, July 12, 1947.
 Amended: D. No. 378, B. O. No. 22, October 20, 1960.
Temporary Land Register Transformed into Public Land Register, L. No. 242, M. O. No. 157, July 12, 1947.
 Amended: D. No. 378, B. O. No. 22, October 20, 1960.
System of Evidence Concerning Realty, D. No. 281, B. O. No. 20, July 15, 1955.

40. Landlord and Tenant

Landlord and Tenants' Relationship, D. No. 78, B. O. No. 17, April 5, 1952.
 Amended: D. No. 62, B. O. No. 8, March 20, 1959.

41. Local Government

Organization of Public Guards, D. No. 36, B. O. No. 9, January 25, 1957.
 See Regulations for Application of D. No. 36/1957, C. H. D. No. 36, September 23, 1959.
Organizations of People's Councils, L. No. 6, B. O. No. 11, March 28, 1957.
 Amended: D. No. 304, B. O. No. 28, July 29, 1958.

42. Military Law and Procedure

Code of Military Justice, D. No. 1298, M. O. No. 66, March 20, 1937.

> Amended: D. No. 1509, M. O. No. 85, April 12, 1938; D. No. 2290, M. O. No. 128, June 6, 1939; D. No. 3628, M. O. No. 233, October 7, 1939; D. No. 4128, M. O. No. 272, November 23, 1939; D. No. 4213, M. O. No. 273bis, November 24, 1939; D. No. 1756, M. O. No. 124, May 30, 1940; D. No. 2530, M. O. No. 175, July 31, 1940 as amended by D. No. 3254, M. O. No. 225, September 26, 1940; D. No. 3987, M. O. No. 288, December 6, 1940; L. No. 174, M. O. No. 53, March 4, 1941; L. No. 584, M. O. No. 147, June 24, 1941; L. No. 595, M. O. No. 151, June 28, 1941; L. No. 292, M. O. No. 86, April 14, 1942; L. No. 520, M. O. No. 167, July 21, 1942; L. No. 694, M. O. No. 210, September 19, 1942; L. No. 787, M. O. No. 248, October 23, 1942; L. No. 487, M. O. No. 173, July 27, 1943; L. No. 61, M. O. No. 28, February 3, 1944; L. No. 123, M. O. No. 56, March 7, 1944; L. No. 1004, M. O. No. 278bis, November 30, 1946; L. No. 160, M. O. No. 117, May 26, 1947; L. No. 33, M. O. No. 47, February 26, 1948; D. No. 4, M. O. No. 98, April 22, 1948.

> For a complete text as of May 21, 1948, *see* M. O. No. 116, May 21, 1948.

> Later Amended: D. No. 185, M. O. No. 180, Auguct 6, 1948; D. No. 386, M. O. No. 293, December 16, 1948; D. No. 125, B. O. No. 13, March 28, 1949; D. No. 71, B. O. No. 27, March 20, 1950; D. No. 220, B. O. No. 75, September 6, 1950; D. No. 262, B. O. No. 116, December 15, 1950; D. No. 79, B. O. No. 68, June 19, 1951; L. No. 6, B. O. No. 31, June 19, 1952 (abrogated by L. No. 2, April 6, 1956); D. No. 302, B. O. No. 46, September 9, 1952; D. No. 340, B. O. No. 49, September 26, 1952; D. No. 506, B. O. No. 53, December 14, 1953; D. No. 330. B, O. No. 39, August 14, 1954; D. No. 636, B. O.

No. 31, December 3, 1956; D. No. 318, B. O. No. 27, July 21, 1958.

Corrected: M. O. No. 268, November 1, 1942; M. O. No. 2, January 3, 1949; B. O. No. 75, July 10, 1951.

43. Mining

Mining Control, D. No. 85, B. O. No. 32, April 1, 1950.

The Organization of a Geological Research Committee and the Exploration of Riches Above and Underground in the R. P. R., D. No. 6, B. O. No. 8, January 16, 1951.

Amended: D. No. 65, B. O. No. 6, April 6, 1955.

44. Nationality Laws

Citizenship of the R. P. R., L. No. 33, B. O. No. 5, January 24, 1952.

Amended: D. No. 296, B. O. No. 38, August 9, 1954; D. No. 563, B. O .No. 28, November 5, 1956.

See also R. No. 474, C. H. D. No. 19, April 10, 1952; R. No. 910, C. H. D. No. 34, June 23, 1954.

45. Nationalization and Confiscation

Nationalization of Industry, Banks, Insurance Companies, Mines and Transportation, L. No. 119, M. O. No. 133bis, June 11, 1948.

Nationalization of Properties Belonging to Churches, Congregations, Communities or Private Persons Whose Revenue Supports Educational Institutions (General, Technical or Professional), D. No. 176, M. O. No. 177, August 3, 1948.

Nationalization of Certain Private Corporations Concerning Railroads, D. No. 232, M. O. No. 209, September 9, 1948.

Nationalization of the Motion Picture Industry and the Regulation of Film Products, D. No. 303, B. O. No. 256, November 3, 1948.

Nationalization of Health Institutions, D. No. 302, M. O. No. 256, November 3, 1948.

Confiscation of the Greek-Catholic Church, D. No. 358, B. O. No. 281, December 2, 1948.

Nationalization of Health Units: Pharmacies, Chemical-

Pharmaceutical Laboratories, Drug Stores, Drug Supply Houses and Medical Laboratories, D. No. 134, B. O. No. 15bis, April 2, 1949.
    Several times amended.
Liquidation of Insurance Corporations and the Insurance Business in the R. P. R., D. No. 362, M. O. No. 58, September 1, 1949.
Apprehension, Pursuit and Trial for Violations Stated in Some Decrees of Nationalization, D. No. 64, B. O. No. 25, March 17, 1950.
Nationalization of Urban Property, D. No. 92, B. O. No. 36, April 20, 1950.
Nationalization of Private Pharmacies, D. No. 418, B. O. No. 16, May 16, 1953.

46. Negotiable Instruments

Law on Bank Checks, D. No. 1250, M. O. No. 100, May 1, 1934.
    Several times amended.
Punishment for the Violation of Regulations Concerning Negotiable Instruments, R. No. 1254, C. H. D. No. 41, September 24, 1958.
    Amended: R. No. 1147, C. H. D. No. 29, August 19, 1959.

47. Passports and Identity Cards

Border Regulations, D. No. 200, B. O. No. 15, May 11, 1956.
    See also R. No. 713, B. O. No. 57, November 6, 1956, as amended by R. No. 360, C. H. D. No. 32, March 27, 1957.
Evidence of Population, R. No. 1152, C. H. D. No. 53, August 5, 1957.
    Amended: R. No. 1326, C. H. D. No. 37, September 25, 1959.
Traveling Papers and Visa for Abroad, D. No. 548, B. O. No. 32, November 26, 1957.
Identity Cards of Population in the R. P. R., D. No. 334, B. O. No. 18, July 16, 1957.
    Amended: D. No. 346, B. O .No. 26, September 19, 1959; R. No. 1783, C. H. D. No. 44, December 14, 1959.

48. Pensions and Social Security

Government Aid to Families, D. No. 106, B. O. No. 39, April 29, 1950.

Amended: D. No. 339, B. O. No. 30, September 6, 1953.

Sickness Insurance Under the Social Security Act, R. No. 3 of Central Committee of Trade Unions Approved by Resolution No. 2164, C. H. D. No. 3, October 16, 1952.

Establishment of Contributions for Social Security, R. No. 4161, C. H. D. No. 80, December 19, 1953.

Amended: R. No. 1350, C. H. D. No. 45, August 17, 1954.

Aid for New Babies and Widows, D. No. 536, B. O. No. 53, December 19, 1955.

Government Aid to Its Employees' Children and Retired Employees, D. No. 571, B. O .No. 28, November 5, 1956.

Aid for the Aged, R. No. 45, C. H. D. No. 34, April 6, 1957.

Rules for Medical Assistance and Distribution of Medicines, D. No. 246, B. O. No. 24, June 2, 1958.

Right to a Pension in Accordance with the Social Security Act, D. No. 292, B. O. No. 20, August 10 ,1959.

Amended: D. No. 878, B. O. No. 24, November 28, 1962.

See also Its Regulations, C. H. D. No. 32 as amended by R. No. 474, C. H. D. No. 15, April 29, 1960.

Pensions for Officers and Noncommissioned Officers, D. No. 293, B. O. No. 20, August 10, 1959.

Amended: D. No. 143, B. O. No. 6, April 26, 1960; D. No. 196, B. O. No. 20, July 29, 1961.

See also Regulations in C. H. D. No. 38, September 30, 1959.

Organization of Artisans' Social Security, D. No. 144, B. O. No. 6, April 26, 1960.

Government Aid to Families for Children, D. No. 285, B. O. No. 15, August 10, 1960.

49. Persons and Domestic Relations

Family Code, L. No. 4, B. O. No. 1, January 4, 1954.

Amended: L. No. 4, B. O. No. 11, April 4, 1956.

Persons and Legal Entities, D. No. 31, B. O. No. 8, January 30, 1954.

Application of the Family Code, D. No. 32, B. O. No. 9, January 31, 1954.

Civil Status, D. No. 278, B. O. No. 13, July 28, 1960.

50. Police

Management and Police of Romanian Railroads, D. No. 1606, M. O. No. 76, April 1, 1937.
> Amended: L. No. 283, M. O. No. 102, May 4, 1943; L. No. 198, M. O. No. 136, June 18, 1947; L. No. 355, M. O. No. 299 bis, December 29, 1947.

Regulation of Arms, Ammunition and Explosives, D. No. 61, B. O. No. 7, March 6, 1959.
> Amended: D. No. 311, B. O. No. 23, August 21, 1959; D. No. 217, B. O. No. 10, July 1, 1960.

Instructions for the Application of Decree No. 61, March 3, 1959 Concerning Regulations for Arms, Ammunition and Explosive Material, R. No. 428, C. H. D. No. 18, April 13, 1959.

Instructions Regarding the Public Peace and Order, R. No. 716, B. O. No. 22, June 24, 1959.

51. Press

Expulsion from Press Activities, L. No. 102, M. O. No. 34, February 12, 1945.

Suppression of authorization for the functioning of the "International Press Service" R. No. 453, M. O. No. 20, January 25, 1949.

Organization of the Press Agency "Ager Press," D. No. 217, B. O. No. 32, May 23, 1949.

Authorization for the Creation of a Press Association in the R. P. R., R. No. 2296, C. H. D. No. 54, November 11, 1955.

52. Property

Abrogation of Anti-Jewish Legislation, L. No. 641, M. O. No. 294, December 19, 1944.

Annulment of Acts Performed by Jews Disposing of Property During Their Persecution, L. No. 607, M. O. No. 172, August 1, 1945.

Abolition of Ownership of Land, D. No. 115, B. O .No. 10, March 30, 1959.

53. Public Health

Dentistry Practice, L. No. 333, M. O. No. 104, May 6, 1946.

Regulation for the Use of Drugs, D. No. 227, B. O. No. 78, September 9, 1950.

Prevention of Venereal Diseases, D. No. 141, B. O. No. 11, April 9, 1953.

Regulations for Medical Doctors' Practice, D. No. 212, B. O. No. 16, May 16, 1953.

Regulations for Medical Aid and Medicines, D. No. 246, B. O. No. 24, June 2, 1958.

Sanitary Regulations and Penalties for Violations, R. No. 54, C. H. D. No. 16, May 17, 1960.

54. Traffic and Transportation

Sea and River Navigation Regulations, D. No. 41, B. O. No. 11, February 14, 1950.
  Amended: D. No. 176, B. O. No. 98, September 29, 1951; D. No. 39 and D. No. 40, B. O. No. 3, January 28, 1956; D. No. 355, B. O. No. 19, July 17, 1956.

Traffic Regulations, D. No. 418, B. O. No. 36, October 15, 1958.
  Amended: D. No. 172, B. O. No. 8, June 17, 1960.

55. Water Rights

Code of Maritime Jurisdiction, D. No. 1632, M. O. No. 236, January 4, 1918.
  Several times amended.

Use, Conservation and Protection of Waters, D. No. 143, B. O. No. 10, April 4, 1953.

Regulations for the Waterway System, D. No. 39, B. O. No. 3, January 28, 1956.

AUTHOR INDEX

Arabic numerals following a reference indicate the consecutive numbers of works in this bibliography; those in italics refer to pages.

TITLE INDEX

Arabic numerals following a reference indicate the consecutive numbers of works in this bibliography; only those titles are entered here for which no author is indicated. Numerals in italics refer to pages.

SUBJECT INDEX

Arabic numerals following a reference indicate the consecutive numbers of works in this bibliography; those in italics refer to pages. The phrases "before 1945" and "after 1945" indicate whether the work was published before or after the Communist takeover. For material dealing with Bukovina, Bessarabia, Moldavia, Transylvania and Wallachia, see under these headings.